愛知・岐阜・静岡・三重・長野

東海

日帰りハイキング

こだわり徹底コースガイド 改訂版

身近で気軽に
自然と触れ合える

おすすめ 56 コース

東海山歩き倶楽部 著

JN255173

メイツ出版

Contents

- 全体MAP ………… 004
- 本書の使い方 ………… 008

※本書は2018年発行の『東海 日帰りハイキング こだわり徹底コースガイド』を元に情報更新・一部必要な修正を行い、改訂版として新たに発行したものです。

愛知 Aichi

- 茶臼山高原 ………… 012
- 宮路山 ………… 014
- 佐久島 ………… 016
- 葦毛湿原 ………… 018
- 東谷山 ………… 020
- 石巻山 ………… 022
- 豊田市自然観察の森 ………… 024
- 定光寺 ………… 026
- 猪高緑地 ………… 028
- 猿投山 ………… 030
- 八曽自然休養林 ………… 032
- 愛知県民の森 ………… 034
- たはらアルプス ………… 036
- 岩屋堂公園 ………… 038
- 足助・香嵐渓 ………… 040
- 王滝渓谷 ………… 042
- 乳岩峡 ………… 044
- 鳳来寺山 ………… 046
- 海上の森 ………… 048
- 面ノ木園地 ………… 050
- 弥勒山・大谷山・道樹山 ………… 052

岐阜 Gifu

- 付知峡 不動公園遊歩道 ………… 054
- みのかも 健康の森 ………… 056
- 養老公園 ………… 058
- 日本ライン うぬまの森 ………… 060
- 各務原アルプス 明王山見晴台 ………… 062
- 伊吹山 ………… 064
- 夕森公園 ………… 066
- かさはら潮見の森 ………… 068
- 金華山 ………… 070
- 馬籠宿～妻籠宿 ………… 072
- 五宝滝公園 ………… 074
- 富士見台高原 ………… 076
- 鬼岩公園 ………… 078
- 百々ヶ峰 ………… 080
- 古城山 ………… 082
- 21世紀の森公園 ………… 084

静岡 Shizuoka

- 大草山 …… 086
- 小夜の中山峠 …… 088
- 静岡県立森林公園 …… 090
- 森町 町民の森 …… 092
- 佐鳴湖公園 …… 094
- 賤機山 …… 096
- 三岳山 …… 098
- 戦国夢街道ハイキングコース …… 100
- 秋葉山 …… 102
- 尉ヵ峰 細江コース …… 104

三重 Mie

- 三重県民の森 …… 106
- 御在所岳 …… 108
- 多度山 …… 110
- 竜ヶ岳 …… 112
- 藤原岳 …… 114

長野 Nagano

- 赤沢自然休養林 …… 116
- こもれ陽の径 …… 118
- ヘブンスそのはら …… 120
- 御池山ハイキングコース …… 122

- 山歩きマナー …… 124

愛知県 全体MAP
岐阜県
長野県
静岡県
八曽自然休養林
弥勒山・大谷山・道樹山
定光寺
東谷山
岩屋堂公園
猿投山
猪高緑地
海上の森
茶臼山高原
面ノ木園地
足助・香嵐渓
豊田市自然観察の森
王滝渓谷
乳岩峡
鳳来寺山
愛知県民の森
宮路山
石巻山
葦毛湿原
佐久島
たはらアルプス

岐阜県 全体MAP

石川県
福井県
長野県
愛知県
三重県
21世紀の森公園
付知峡 不動公園遊歩道
夕森公園
古城山
みのかも
健康の森
馬籠宿～妻籠宿
五宝滝公園
富士見台高原
百々ヶ峰
鬼岩公園
伊吹山
金華山
日本ライン
うぬまの森
各務原アルプス
明王山見晴台
かさはら潮見の森
養老公園

静岡県 全体MAP
山梨県
長野県
愛知県
賤機山
秋葉山
戦国夢街道
ハイキングコース
静岡県立
森林公園
尉ヵ峰
細江コース
三岳山
森町
町民の森
小夜の中山峠
大草山
佐鳴湖公園
駿河湾

三重県 全体MAP
岐阜県
愛知県
滋賀県
藤原岳
竜ヶ岳
多度山
三重県民の森
御在所岳
京都府
伊勢湾

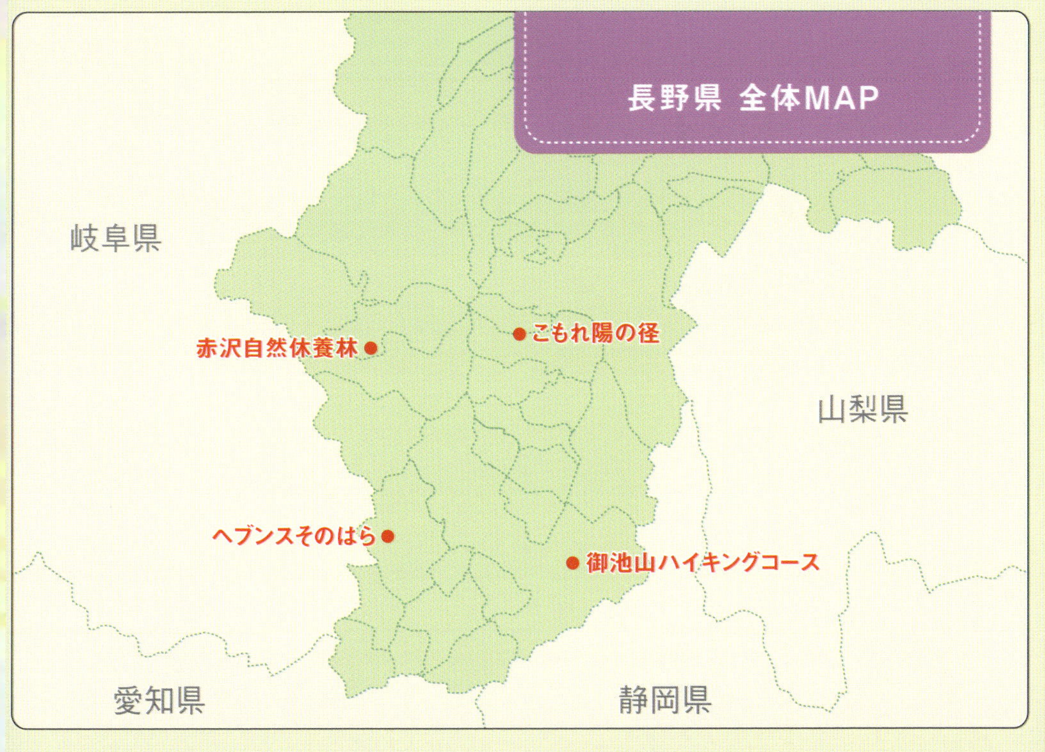
長野県 全体MAP
岐阜県
赤沢自然休養林
こもれ陽の径
山梨県
ヘブンスそのはら
御池山ハイキングコース
愛知県
静岡県

本書の使い方

❶ エリア

ここでは県と市を表記しています。

❷ コースがある場所

紹介しているハイキングコースの場所の名称を入れています。

マークの見方

- スタート
- ゴール
- 駐車場
- トイレ
- 水道（飲み水など）
- 東屋
- 展望台
- 眺望がいい場所
- 山頂
- 標高
- 本書で紹介しているコース

愛知・北設楽郡

澄んだ空気と見晴らしを楽しむ高原ウォーク

茶臼山高原

ちゃうすやまこうげん

歩行時間
約1時間20分
難易度
★

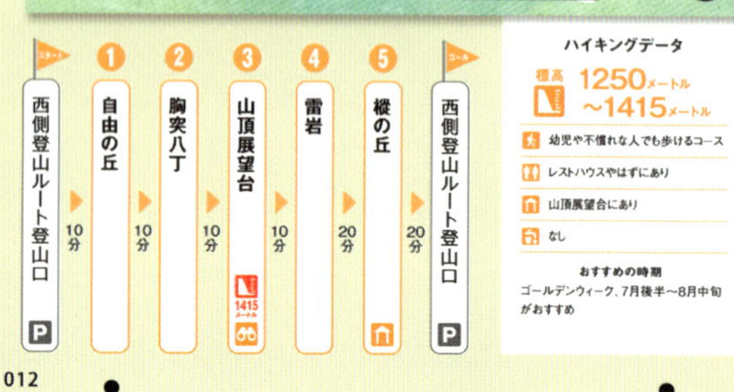

❺ ハイキングコースマップ

本書で紹介しているコースを簡略化したマップでルートを表しています。ルートはあくまでも推奨であって、ここで紹介する以外のコースが複数ある場合もあります。ご自分の体力と相談しながら、ご自由に組み立てて下さい。

❻ コースプラン

ルート内の主要なポイントなどと目安時間を記載しています。休憩時間などは含まれていません。あくまでも目安です。

❼ ハイキングデータ

標高差、散策路のレベル、トイレの有無、東屋の有無、展望台の有無、給水所の有無、おすすめの時期を記載しています。

③ 歩行時間目安

本書で紹介しているコースを歩いた際の一般的な目安時間を入れています。

④ 難易度

難易度を三段階★印で表現しています。★が多くなるほど難しくなります。難しさは人それぞれですが、目安としてはアップダウンがあったり、距離が長く時間がかかる、などが評価の対象で、登山のレベル評価とは異なります。

右上／広がる草原のハイキングは山道とはまた異なったすがすがしさがある。　左上／愛知県の最高峰。山頂からはもちろん、道中でも広い空と開けた眺望に心もはればれ　左下／紅葉の季節は一足早く10月～11月

⑧ 写真と説明

そのコースに関連する写真を紹介しています。

　愛知県の最高峰、茶臼山。長野県との県境にまたがり、登山口まで車で行くことができるので初心者にもおすすめだ。見晴らしのよい西側登山ルートをとる。第2駐車場すぐの登山口から芝生の続くなだらかな坂道を進むと、視界の開けた①自由の丘に到着する。ベンチで小休憩しつつ、草原の景色を楽しもう。だんだん木立の中の山道になると小さな横道がいくつがあるが、メインのルートを行く。やや急な階段が続く②胸突八丁を踏ん張れば、山頂に到着する。③山頂展望台からは、愛知県で唯一のスキー場がある萩太郎山がすぐ下に見える。帰路はひたすら下りの坂道。天狗伝説のある④雷岩で分岐を右に、雨乞洞、夫婦槙などを経て、⑤桜の丘へ。ここも見晴らしがよい。ふもとの「休暇村茶臼山高原」まで下ってくると、美術館やボート乗り場のある池などがありホテルの日帰り入浴なども楽しめる。

⑨ コース紹介文

コースを歩いた時のガイド文です。歴史や見える風景、散策ルートについてなどが書かれています。

萩太郎山観光リフト

茶臼山南麓から1358mの萩太郎山山頂付近までの空中散歩。6月～10月頃はサンパチェンスが上空から楽しめる。

スタート地点までのアクセス

愛知県北設楽郡豊根村坂宇場字御所平70-185

アクセス

猿投グリーンロードより約1時間半、新東名高速「新城IC」より車で約1時間半、三遠南信自動車道「鳳来峡IC」より車で約1時間10分

駐車場

1000台駐車可能な広さ。今回の登山道入口へは第2駐車場が便利

❓ 茶臼山高原協会　☎0536-87-2345

013

⑩ スタート地点までのアクセスと問い合わせ先

コースの住所、アクセス、駐車場情報、そのコースについての問い合わせ先を記載しています。問い合わせ先は必ず常に連絡がつくとは限りません。またその場所に直接ではなく役所などのケースもあるため、コース内の細かい部分についての問い合わせなど不明な場合もあります。

⑪ おすすめスポット

ハイキングコース内、または近くにある立ち寄りたいスポットを紹介しています。営業時間などは事前にご確認下さい。

本書のデータは2021年12月現在のものです。データなど内容が変更になる場合があります。また歩行時間や難易度など個人差がありますことを、あらかじめご了承下さい。また登山道や散策路などは自然の状況や天候により状況が変わります。十分に安全を確認し、注意の上、ハイキングを楽しんで下さい。

愛知・岐阜・静岡・三重・長野

東海 日帰りハイキング

こだわり徹底コースガイド

毎日の散歩コースもいいですが、
たまには足を伸ばして旅気分で、自然の中を歩いてみませんか?
聞こえてくるのは鳥のさえずりと、風が草木を揺らす音。
足元に咲く小さな花の存在が季節を教えてくれます。
本書では日帰りできる気軽さをテーマに、
初心者でも歩くのが楽しいコースを紹介しています。
コツは無理せず、マイペースに。
ゆっくり野山の景色を楽しみながら、
自然の中を歩いてみて下さい。

澄んだ空気と見晴らしを楽しむ高原ウォーク

茶臼山高原

ちゃうすやまこうげん

歩行時間
約1時間20分

難易度
★

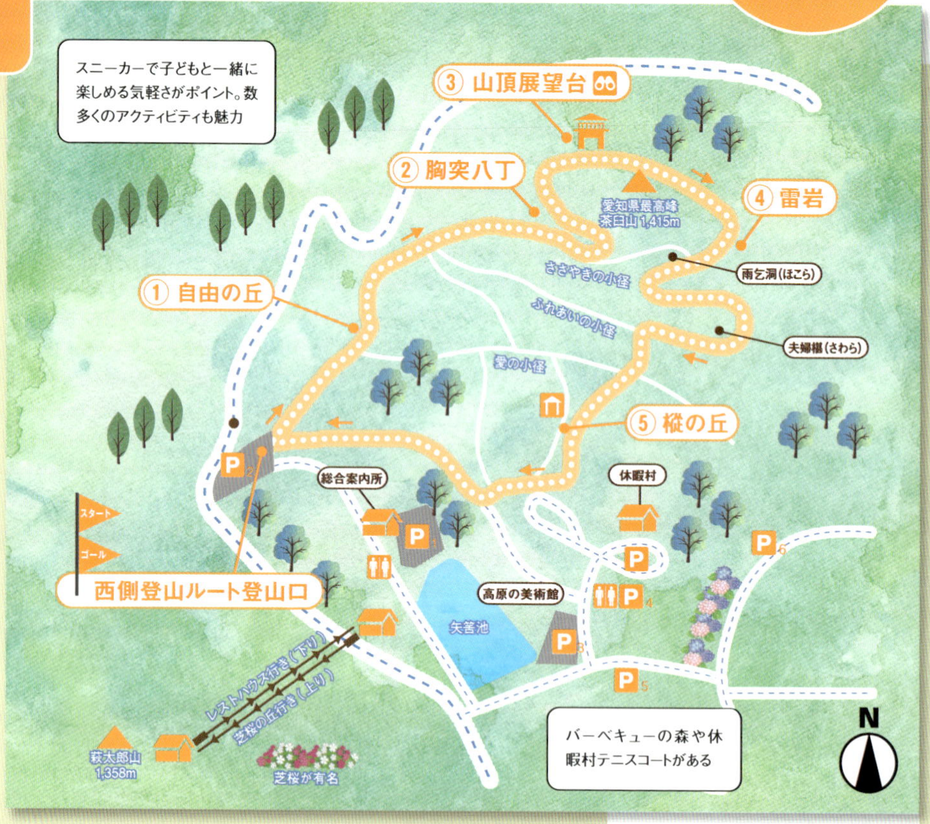

ハイキングデータ

標高 1250メートル～1415メートル

- 幼児や不慣れな人でも歩けるコース
- レストハウスやはずにあり
- 山頂展望台にあり
- なし

おすすめの時期

ゴールデンウィーク、7月後半～8月中旬がおすすめ

右上／広がる草原のハイキングは山道とはまた異なったすがすがしさがある。　左上／愛知県の最高峰。山頂からはもちろん、道中でも広い空と開けた眺望に心もはればれ　左下／紅葉の季節は一足早く10月～11月

愛知県の最高峰、茶臼山。長野県との県境にまたがり、**登山口**まで車で行くことができるので初心者にもおすすめだ。見晴らしのよい西側登山ルートをとる。第2駐車場すぐの**登山口**から芝生の続くなだらかな坂道を進むと、視界の開けた**❶自由の丘**に到着する。ベンチで小休憩しつつ、草原の景色を楽しもう。だんだん木立の中の山道になると小さな横道がいくつがあるが、メインのルートを行く。やや急な階段が続く**❷胸突八丁**を踏ん張れば、山頂に到着する。**❸山頂展望台**からは、愛知県で唯一のスキー場がある萩太郎山がすぐ下に見える。帰路はひたすら下りの坂道。天狗伝説のある**❹雷岩**で分岐を右に、雨乞洞、夫婦椹などを経て、**❺樅の丘**へ。ここも見晴らしがよい。ふもとの「休暇村茶臼山高原」まで下ってくると、美術館やボート乗り場のある池などがありホテルの日帰り入浴なども楽しめる。

おすすめスポット

萩太郎山観光リフト

茶臼山南麓から1358mの萩太郎山山頂付近までの空中散歩。6月～10月頃はサンパチェンスが上空から楽しめる。

スタート地点までのアクセス

愛知県北設楽郡豊根村坂宇場字御所平70-185

アクセス

猿投グリーンロードより約1時間半、新東名高速「新城IC」より車で約1時間半、三遠南信自動車道「鳳来峡IC」より車で約1時間10分

駐車場

1000台駐車可能な広さ。今回の登山道入口へは第2駐車場が便利

❓ 茶臼山高原協会　☎0536-87-2345

愛知・豊川市

もみじの名所　いにしえの「宮路越え」に触れる

宮路山

みやじさん

歩行時間
50分

難易度
★

ここで紹介するのはファミリー向けの登りやすいコース。もの足りない人は中級者向けコースへ

ここは紅葉スポットとして知られる名所。数千本のコアブラツツジが山を赤く染める。

内山駐車場
忠魂碑
赤坂登山口
長沢へ
小渡井の枡井戸
急勾配
豊川市道宮路線
急勾配
ファミリー向けおすすめコース
宮道天神社（浅間神社入り口）
保健センター駐車場
希望の丘
スタート
ゴール
第二駐車場
第一駐車場
中級者向けコース
森林浴コース
ドウダン展望コース
急勾配中級者向けコース
五井山へ
N

① 分岐1
② 分岐2
③ 山頂
④ 宮道天神社奥の院本宮
⑤ 分岐3

スタート 第1駐車場登山口 → 3分 → ① 分岐1 → 5分 → ② 分岐2 → 15分 → ③ 山頂（362メートル） → 3分 → ④ 宮道天神社奥の院本宮 → 1分 → ⑤ 分岐3 → 20分 → ゴール 第1駐車場登山口

ハイキングデータ

標高 259メートル～362メートル

歩行時間約50分

第1、第2駐車場

山頂ほか数か所あり

なし

おすすめの時期

11月下旬の紅葉シーズンがおすすめ。雨天時は足元が滑りやすいため、避けたほうが無難

右上／古くからもみじの名所として名高い　左上／緑の季節もまた美しい　左下／東屋での休憩も、もみじに包まれる

旧東海道・赤坂宿の西、三河湾国定公園内にあり、古くは万葉集にもその名がうたわれた宮路山。登山道が整備され、気軽に登ることができる山でもある。今回は頂上付近の**第1駐車場の登山口**から。物足りない人は、ふもとの旧東海道から近い内山駐車場から登っていこう。

さて、階段を上り**❶分岐1**で右へ、しばらく行って東屋のある**❷分岐2**からドウダン展望コースを歩く。この辺りはドウダンと呼ばれるコアブラツツジが約2ヘクタールに渡り群生している。**❸山頂**について一服したら、さらに東へ下り、また上って**❹宮道天神社奥の院本宮**へ。晴れた日には富士山まで望めることも。戻って**❺分岐3**から森林浴コースで下っていくが、そのまま西へ五井山まで登山する人も多い。体と相談しながら足をのばしてみるのも良さそうだ。

おすすめスポット

うなぎ屋

井戸水に泳がせた活きうなぎをさばいて焼き上げる、絶品のうなぎ料理が楽しめる。宮路山から車で約10分。

スタート地点までのアクセス

愛知県豊川市赤坂町宮路

アクセス

東名高速「音羽蒲郡IC」から4.5km、名鉄「名電赤坂駅」「名電長沢駅」から徒歩約1時間

駐車場

「第1駐車場」とその近くに「第2駐車場」、ふもとの登山口の「内山駐車場」がある

❓ 豊川市観光協会　☎0533-89-2206

海、山、アートのよくばり島一周!

佐久島

さくしま

歩行時間
約1時間50分

難易度
★

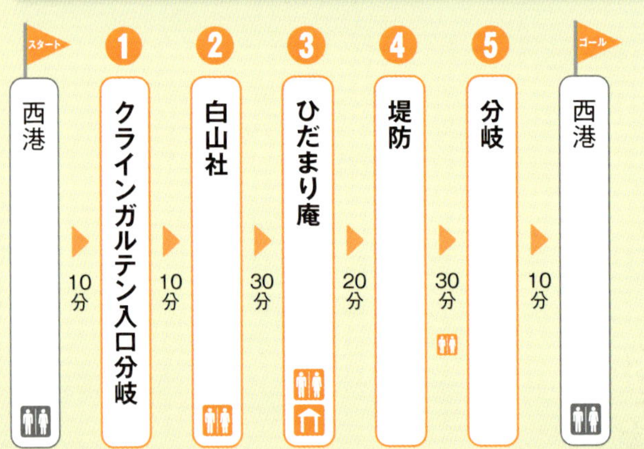

ハイキングデータ

幼児や不慣れな人でも歩ける

東西各渡船場、弁天サロン、クラインガルテン、白山社、ひだまり庵、大浦海水浴場

ひだまり庵付近

弁天サロン

おすすめの時期

夏季以外(山道に虫などが多いため)、2~3月は山道にツバキの花が咲く

右上／④⑤間で通る大浦海水浴場。歩いていて開放的な気分になれる　左下／②③間の山道は、2～3月は椿の並木道に　左上／大浦海水浴場近くの防波堤で見られるアート「カモメの駐車場」（作・木村崇人）

愛知県・三河湾のほぼ真ん中に浮かぶ小さな島。島中に点在するアート作品と、年間通して緑豊かな山道、そして海風を楽しみながら島を一周してみよう。スタート地点はフェリーを降りた西港から。島で「1号線」と呼ばれるメインストリートに出て❶佐久島クラインガルテン入口の案内板アートのある分岐で左へ、山道に入る。坂道を上ってほどなく❷白山社に着く。アート作品と弘法大師のほこらがある。さらに道なりに進み、島の東西を北側で結ぶハイキングロードを行く。ヤブツバキの並木道になっており、2月以降が見ごろだ。再び南側へ下る途中には島内最高峰の秋葉山があり、その後集落へ入る。どこかの食堂に入りゆっくりするのも手だ。最後は海沿いの「1号線」を歩き❺分岐で黒壁の集落を通って帰ろう。

おすすめスポット

おひるねハウス

黒壁集落をイメージした人気のある作品。好きな部屋に入って、大海原を眺めながらごろんと横になってみよう。（作・南川祐輝）

スタート地点までのアクセス

愛知県西尾市一色町佐久島

アクセス
知多半島道路「半田」ICより約20km。一色港から佐久島西港まで約9.4km（定期船で約20分）

駐車場
佐久島に渡る高速船はカーフェリーでないため、島内にはなし。一色港周辺に無料駐車場1000台

❓ 西尾市役所佐久島振興課（佐久島ナビステーション内）　☎0563-72-9607

多種多様な固有種が見られる湿原をトレッキング

葦毛湿原

いもうしつげん

歩行時間
約1時間10分

難易度
★

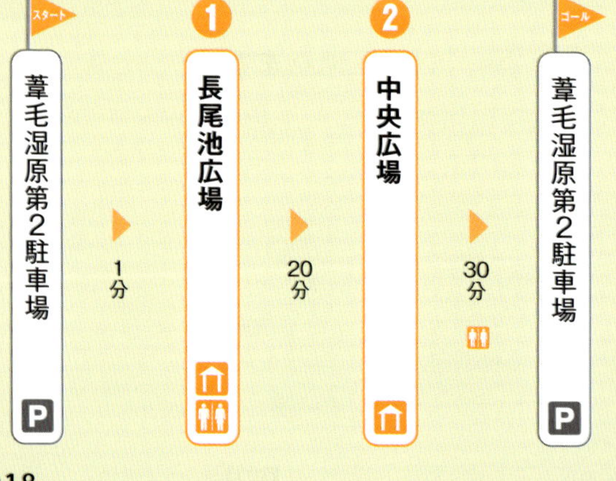

ハイキングデータ

- 起伏がなく体力的には楽
- 長尾池広場にあり
- ルート内に2ヵ所あり
- なし

おすすめの時期

春にショウジョウバカマやハルリドウ、夏にはミズキボウシ、カキラン、9月にはシラタマホシクサが一面に咲き誇る

右上／湿原の中の木道を通って歩く。休憩場所が限られるので涼しい春や初夏、秋などの時期がおすすめ　左上／入口付近の写真。分岐点などは木々が茂っている　左下／可憐な「サギソウ」。湿原は動植物の楽園。トンボなど昆虫の種類も多く見られる

葦毛湿原は、弓張山地山麓の緩斜面に広がる国内最大級の湧水湿地。東海地方に特有の東海丘陵要素植物であるシラタマホシクサ、熱帯アジアが分布の中心である暖地系植物であるミミカキグサ、氷期の遺存種である寒地系植物であるイワショウブ、アジア大陸由来の大陸系遺存植物であるハルリンドウ等が混在して生育。生態学的、植物地理学的に価値が高いことから国の天然記念物に指定されている。トレッキングとしては非常にショートで、気軽に歩きやすい。湿地を一周できるこのコースは高低差もなく、湿地特有の動植物を楽しみながら、のんびり散歩感覚で歩けるのがいい。とはいえ、標高が低い湿地のため、夏場は熱中症やハチ、マダニに注意が必要だ。②広場で水分補給などをしながら進もう。また子どもを連れている場合は、絶対に木道から外れないように気をつけたい。

おすすめスポット

豊橋総合動植物園（のんほいパーク）

時間があれば、動物園、植物園、遊園地、自然史博物館の4つがセットになった全国でも珍しいパークへ立ち寄りたい。豊橋市大岩町字大穴1-238

スタート地点までのアクセス

愛知県豊橋市岩崎町長尾地内

アクセス

豊鉄バス・飯村岩崎線　赤岩口行き『岩崎・葦毛湿原』下車徒歩15分

駐車場

約80台駐車可能な無料駐車場あり

❓ 豊橋市文化財センター　☎0532-56-6060

名古屋市の最高峰登山と古墳めぐり

東谷山

とうごくさん

歩行時間
約1時間35分

難易度
★

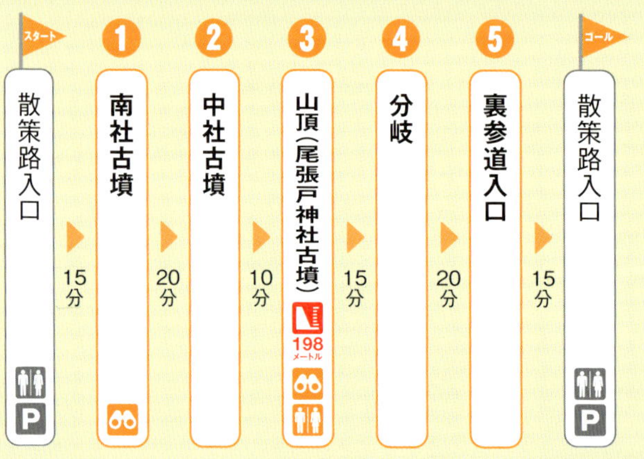

ハイキングデータ

- 子どもでも歩けるレベル
- 東谷山フルーツパーク第1駐車場、山頂
- 山頂の展望台にベンチあり
- 尾張戸神社の手水ならあり

おすすめの時期

冬季以外の時期ならいつでも通年楽しめる。夏は暑いので水分補給はこまめに。

右上／山頂からの眺め。平野部に庄内川が流れる　左上／散策路は階段道が続く。東谷山はフルーツパークもあり、日帰りハイキングにおすすめ　左下／山頂に着くとまず展望台へ。天気がよければ遠く伊吹山や名古屋港まで見渡せる

名古屋市守山区と隣の瀬戸市とにまたがる、手軽なハイキングスポット。同市の最高峰でもある。「しだみ古墳群」と呼ばれ古墳が数多く存在するエリアでもあり、歴史好きなら、足を延ばして東谷山白鳥古墳や白鳥塚古墳などをめぐるのも手だ。本コースにも古墳が3か所含まれる。東谷山フルーツパークの第一駐車場の近くにある**散策路入り口**から山頂までの道は、フルーツパークの管理で整備されており、子どもも安心して登ることができる。全般的に階段が続く。**❶南社古墳**と**❷中社古墳**の間の後半は段差も大きい。**❸山頂**の展望台からは、名古屋市の平野部と街並が見渡せる。尾張戸神社の社殿の下も古墳だ。下り道も急な階段道。**❹分岐**で「南社→」の看板があるが、道が危険なため左へ。足場が悪く、ぬかるみもあるので注意して。**❺裏参道入口**からスタート地点までは車が通る一般道。歩道が狭いので、ここも要注意。

おすすめスポット

東谷山フルーツパーク

東谷山のふもとにある果樹園や世界の熱帯果樹温室などがあるフルーツいっぱいの農業公園。時期により収穫体験が楽しめ、売店やレストハウス、フィッシングコーナーもある。

スタート地点までのアクセス

愛知県名古屋市守山区大字上志段味字東谷

アクセス

東名高速「守山スマートIC」より県道15号で約10分。東名阪自動車道「松河戸IC」「小幡IC」より県道15号で約20分。JR中央線「高蔵寺駅」南口より徒歩25分

駐車場

東谷山フルーツパーク第1駐車場に345台

❓ 東谷山フルーツパーク　☎052-736-3344

愛知・豊橋市

ダイダラボッチ伝説が残る豊橋のシンボル山へ

石巻山

いしまきさん

歩行時間
1時間10分

難易度
★

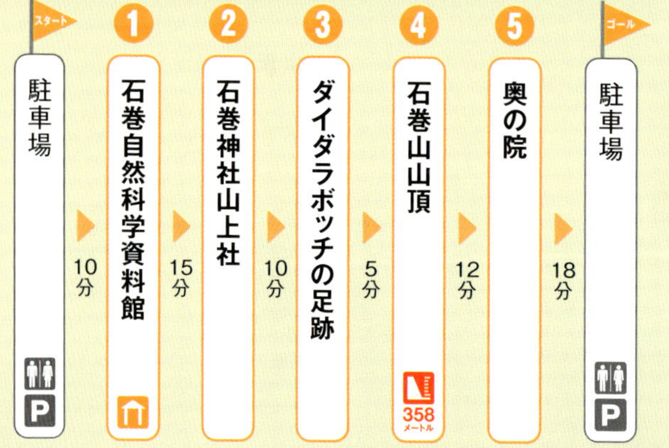

ハイキングデータ

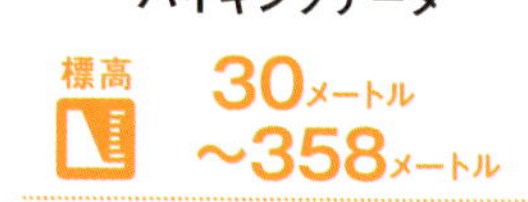

距離は短く登りやすいが岩場あり

駐車場にあり

あり

石巻自然科学資料館にあり

おすすめの時期

5月頃はオドリコソウ、7月頃はササユリなど四季折々の花が咲く

右上／巨岩でできた「大天狗・小天狗」。北側に眺望が開ける　左上／石灰石の風化によってできたものだと言われている「蛇穴」。昔、神の使いの大蛇が棲んでいたという言い伝えも残っている　左下／奥の院まで来れば帰りはもう近い。もう少し行くとオドリコソウの群生地に出る

豊橋市内のシンボル的な山。山頂は大昔のサンゴや海水中の石灰分などでできた石灰岩の巨岩でできており、山頂付近の石灰岩地植物群落は国の天然記念物に指定されている。マルバイワシモツケやクモノスシダなどの石灰岩地に生える植物や、陸貝の仲間が生息しており、民話に登場するダイダラボッチ伝説も。そんな数多くの不思議に包まれているこの山はアクセスしやすい場所のため、初心者でも手軽に登れる山として、人気がある。まずは駐車場から❶石巻山自然科学資料館に寄り、生物を学び、石巻山自然観察路マップをもらおう。次に❷石巻神社山上社へ向かい、参拝。❸ダイダラボッチの足跡あたりからは山の様子が変わり、岩場が多くなって来る。大天狗、小天狗と呼ばれる巨岩を通過し、岩壁沿いの鎖場や鉄ハシゴを登りきると❹石巻山山頂に到着。渥美半島から知多半島まで見渡せる。

おすすめスポット

石巻神社山上社

スタート近くにある石巻神社山上社の祭神は大己貴命(おおなむちのみこと)で歴史も古く、格式の高い神社。入山前に参拝しよう。

スタート地点までのアクセス

愛知県豊橋市石巻町字南山

アクセス
東名高速「豊川」ICより国道151・362・県道31・379号線を南東へ約12km

駐車場
石巻山中腹にある無料駐車場を利用

豊橋市自然史博物館　☎0532-41-4747

さまざまな生き物と巡り合う自然観察の森へ

豊田市自然観察の森

とよたしぜんかんさつのもり

歩行時間
2時間

難易度
★

車で15分ほど走れば観光牧場や、プレイハウス、動物園、四季折々の花が楽しめる四季の古里がある鞍ケ池公園という立地もいい。外周コースは車が通るので周囲に気を配って

複数整備されたルートがあり、「トンボの湿地ルート」「ムササビの森ルート」「寺部池ルート」など1時間前後のコースもある。ネイチャーセンターでマップをもらおう

スタート ネイチャーセンター
▶ 5分
① エナガの交差点
▶ 15分
② ヤマグリの交差点
▶ 10分
③ カワセミの小屋
▶ 30分
④ ツリバナの交差点
▶ 40分
⑤ 寺部池観察デッキ
▶ 20分
ゴール ネイチャーセンター

ハイキングデータ

標高 30メートル～120メートル

散策路は整備されていて歩きやすい

あり（水洗、身障者対応トイレあり）

ルート内に数ヵ所あり

あり（給水器・冬季を除く）

おすすめの時期

歩いて気持ちいい季節はゴールデンウィークあたり。スミレ、ツツジ、新緑の緑と野鳥の声に癒やされる

右上／トンボの湿地にはトンボはもちろん、大きなタニシやカエルなど、子どもにも馴染み深い生物が数多く見られる　左上／シダの交差点の写真。森が茂っているが、キチンと整備されていて全体的に歩きやすい　左下／園内では数多くの野鳥も見られる。写真はキビタキ。オオルリなども見られる

豊田市の中心市街地から東へ約4km、鞍ケ池公園から続く緑地帯の中にある。森の中へ入ると雑木林、スギ・ヒノキ林、湿地や池などさまざまな自然があり、四季を通じて多くの野鳥、植物や昆虫を観察することができる。特にオススメはトンボの湿地。美しいトンボが行き交い、水の中にはメダカやカエルの姿も。森の入口のネイチャーセンターでは園内マップがもらえ、自然クイズラリーや生き物ビンゴなどのワークシートなどもあるので、子どもがいる人は特に立ち寄ってみてほしい。自然の専門家である頼れるレンジャーも常駐しているので、観察のポイントや不思議に思ったことなど、気軽に尋ねてみよう。標本資料館の奥にある❶エナガの交差点から❷ヤマグリの交差点へ向かう。❸カワセミの小屋から戻るコースも複数あるが、体力があるなら外周ルートで❹ツリバナの交差点へ。

おすすめスポット

ネイチャーセンター

展示コーナー、工作室など5つのラボで構成。自然に関する展示や自然観察のアドバイスなどを行っている。

スタート地点までのアクセス

愛知県豊田市東山町4-1206-1

アクセス

名鉄「豊田市駅」から愛知環状鉄道　新豊田駅で下車し、バス「おいでんバス」豊田・渋谷線　市木・双美団地行「自然観察の森」下車0分、または豊田・渋谷線　東山5丁目行「東山5丁目」下車 徒歩5分

駐車場

豊田勘八I.Cより20分、豊田松平I.Cより25分、鞍ケ池PAスマートI.C（ETCのみ使用可）より 20分

❓ 豊田市自然観察の森　☎0565-88-1310

尾張・徳川家ゆかりのお寺参りと紅葉を愛でるコース

定光寺

じょうこうじ

歩行時間
2時間（片道）

難易度
★

ハイキングデータ

標高 63メートル～223メートル

- 子どもでも快適に歩けるが距離がある
- 各所にあり
- 公園内にあり
- 各所にあり

おすすめの時期

紅葉スポットとして有名なので秋が定番。ほか定光寺公園では春の桜、6月は蓮の花が見頃。

右上／色とりどりの紅葉の色が美しい定光寺。紅葉を楽しみながら歩くのがおすすめ　左上／定光寺境内西側にある高台の展望台でも赤く染まった紅葉が楽しめる　左下／春は六角堂を配した正伝池の周囲にソメイヨシノが咲く

尾張・徳川家ゆかりの寺であり、桜と紅葉の名所として有名な定光寺。参道にもきれいな紅葉が見られ、そのグラデーションが見事だ。この定光寺は尾張の鬼門封じの役を担っており、参詣すれば災難はたちどころに消えて多くの福が授かると広く信仰を集めてきた。尾張藩祖徳川義直公の廟所と室町時代後期の建築である本堂「無為殿」はともに国の文化財に指定されている。定光寺公園よりスタートし、六角堂を配した正伝池や、春の桜、秋の紅葉を観賞するだけも充分価値あり。❶定光寺を参拝し、東海自然歩道を通る林間ルートを巡ろう。❷展望台からは晴れていれば名古屋駅のビル群が一望できる。薬膳茶 Soybean Flour at きららという雰囲気のいいカフェを過ぎたら、歴史を感じさせる料理旅館❸應夢亭の前へ。そこで折り返し、川沿いを歩く自然歩道で❹分岐を右折。そのまま林間ルートで森林交流館を目指そう。

おすすめスポット

道の駅瀬戸しなの

瀬戸市は1,000年以上の歴史と伝統のある陶磁器産業の町。せとめしを味わったり、地域の新鮮な野菜、加工品などの購入ができる。瀬戸市品野町1-126-1

スタート地点までのアクセス

愛知県瀬戸市定光寺町373

アクセス
JR中央線「定光寺駅」下車徒歩約15分、東海環状自動車道せと品野ICより車で約15分

駐車場
定光寺公園に無料160台あり

❓ 瀬戸市まるっとミュージアム・観光協会　☎0561-85-2730

名古屋市内にある自然豊かな自然観察の森を歩く

猪高緑地

いたかりょくち

歩行時間
1〜2時間

難易度
★

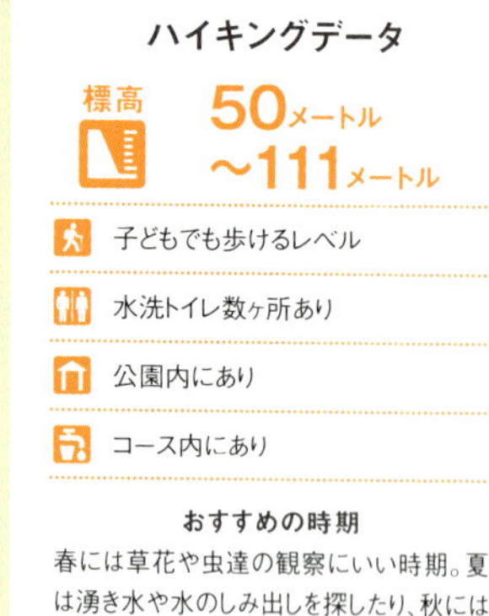

おすすめの時期

春には草花や虫達の観察にいい時期。夏は湧き水や水のしみ出しを探したり、秋にはどんぐり見つけたりと子連れに楽しい時期

右上／園内の枕木道はスニーカーレベルでも歩きやすい　左上／4月下旬頃の写真。街中から近いが緑も多い。真夏より春や秋がおすすめ　左下／すり鉢池の周辺。近くには住宅や一般道が通る

人と自然が共存する里山のような環境の猪高緑地。ウォーキングが盛んで、ノルディックウォーキングやハイキングを楽しむ人も多い。このあたりは昔から農業が盛んで、農業用のため池だった場所。高度経済成長期以降、一度は荒れ放題になった森を、住民と行政が一体になり、里山の風景を次世代に残すため保全活動を続けている。名東スポーツセンターの駐車場から左右に散策路は分かれるが、初めて訪れるなら、まず左手の❶森の集会所方向へ。すると目の前は塚ノ杁池。この周辺で生き物観察をしながら歩くとシダレザクラの里へ。道なりに進むと、❸棚田の広場に到着。井堀下池、竹林を通り、❹展望デッキへ。この森の中で一番標高の高い親鸞山からしばらく行くと、❺遊具広場には小さなスポーツ広場も。名古屋市内ではいいスポットだ。

おすすめスポット

東山動植物園

猪高緑地から車で10分程度。子どもと一緒に名古屋に来たら一度は立ち寄りたい東山動植物園。園内は広く、ここだけでも1日過ごせるほど。時間に余裕があれば足を伸ばそう。

スタート地点までのアクセス

名古屋市名東区猪高町

アクセス

地下鉄東山線「本郷」駅より「障害者スポーツセンター」又は「猪高緑地」下車または地下鉄鶴舞線「平針」駅より市バス　「障害者スポーツセンター」下車どちらも目の前

駐車場

名東スポーツセンターに有料駐車場があり（1日300円）

❓ 名古屋市名東土木事務所　☎052-703-1300

自然豊かな霊山、子連れにもおすすめ

猿投山

さなげやま

歩行時間
約4時間30分

難易度
★★

ハイキングデータ

標高 150メートル～629メートル

- 幼児や登山に不慣れな人でも歩ける
- 登山者用駐車場、東の宮鳥居横 菊石トイレ
- 大岩展望台手前、ベンチは道中に数か所
- なし

おすすめの時期

3月下旬～4月は山麓一帯に桃の花が咲き誇る。秋の紅葉の季節も美しい

右上／春、ふもとの一帯に咲き誇る桃の花で山は桃源郷のようになる
左上／トロミル水車。焼き物に適した土がとれる地域柄、良質な陶土をつくるために使われた　左下／猿投山山頂。お弁当を広げる人も多い

ふもとにある猿投神社の奥の院である東の宮、西の宮が山中にある猿投山。今回は東海自然歩道を歩き、東の宮に参拝する。**登山者用駐車場**を出発、舗装された道を行く。「トロミル水車」を過ぎて、御門杉から遊歩道に入りそのまま進む。階段をこえて登っていくと東屋、そしてその先に**①大岩展望台**がある。ここからの眺めは、猿投山随一。天気がよければ、豊田スタジアムや中部国際空港の管制塔などが見える。もうひとつ「猿投山展望台」もあるが、階段道が長く、行くなら30分近く見ておこう。ついに**③東の宮**に到着。安全登山のお参りをする人も多い。その後の道中では御嶽山や南アルプスが見える。「カエル岩」を見つけたらもうすぐ**④山頂三角点**。復路は同じコースだが、西の宮と七滝をめぐるルートもある。時間と体力に余裕があるならおすすめだ。

おすすめスポット

猿投神社

10月の猿投祭りで、棒を使った武術のひとつが伝統芸能として伝わる「棒の手」が奉納されることでも有名。

スタート地点までのアクセス

愛知県豊田市猿投町鷲取

アクセス
猿投グリーンロード「猿投IC」より北へ30分、名鉄「豊田市」より「とよたおいでんバス（藤岡・豊田線）加納経由」猿投神社前下車

駐車場
ふもとの登山者用駐車場、登山者・猿投神社参拝者共用駐車場あり

豊田市商業観光課　☎0565-34-6642

清らかな緑と水を愛でながら、滝めぐりを

八曽自然休養林

はっそしぜんきゅうようりん

歩行時間
約2時間45分

難易度
★★

ハイキングデータ

標高 約50メートル～250メートル

整備されていて歩きやすい。一部岩場や階段がある

ルート内に数カ所あり

パノラマ展望台などにあり

キャンプ場にあり

おすすめの時期

キャンプ場があり、アウトドアが楽しめるため初夏から秋がおすすめ

右上／悠々と流れる「五段の滝」を眺めたら、ゴールはもうすぐ　左上／平成の名水百選に選出された「八曽滝」。豪快に流れ落ちるダイナミックな姿は、一見の価値あり　左下／「八曽モミの木キャンプ場（モミの木駐車場）」からは、五条川の清流沿いに歩く

八曽自然休養林は、犬山市から東部から岐阜県境に位置する丘陵性山地だ。スギやヒノキの人工林と、カシやコナラなどの天然林とで構成される国有林で、全区域が飛騨木曽川国定公園に指定されており、美しい自然を満喫できる。休養林の中央を東西に流れる五条川。駐車場のある八曽モミの木キャンプ場を起点に、川沿いに伸びる東海自然歩道を歩き、まずは❶八曽滝へ。その先にあるパノラマ展望台には東屋がある。❷岩見山への道は、緩やかな登り。山頂からの展望はいいが広くないので、景色を楽しんだら下山するのがおすすめだ。その後、階段や岩場の道を歩きながら、岩の洞窟❸厳頭洞（がんとうがま）や落差5mの❹乙女滝、❺五段の滝に立ち寄りスタート地点へ。名古屋から約30kmの場所とは思えない、豊かな自然を満喫できる。

おすすめスポット

入鹿池

八曽自然休養林から車で約10分。世界かんがい施設遺産。釣りやボート遊びを楽しめる。「見晴茶屋」では犬山名物の菜めしとでんがくを定食で味わえる。

スタート地点までのアクセス

愛知県犬山市八曽1-1

アクセス
中央自動車道小牧東ICから県道49号線を経由して約15分

駐車場
八曽モミの木キャンプ場「モミの木駐車場」にある。100台（1日1台500円）

❓ 八曽モミの木キャンプ場　☎0568-67-6244（12～2月は休業予定）

愛知・新城市

3つの滝を巡る自然あふれる森林散策

愛知県民の森

あいちけんみんのもり

歩行時間
約2時間35分
難易度
★★

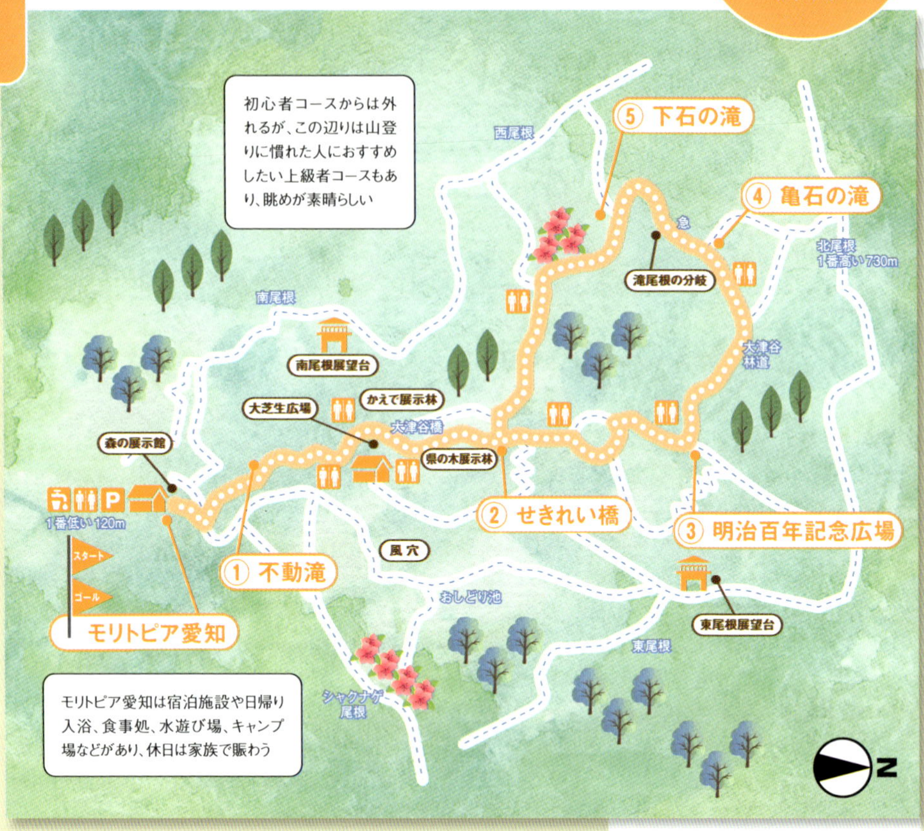

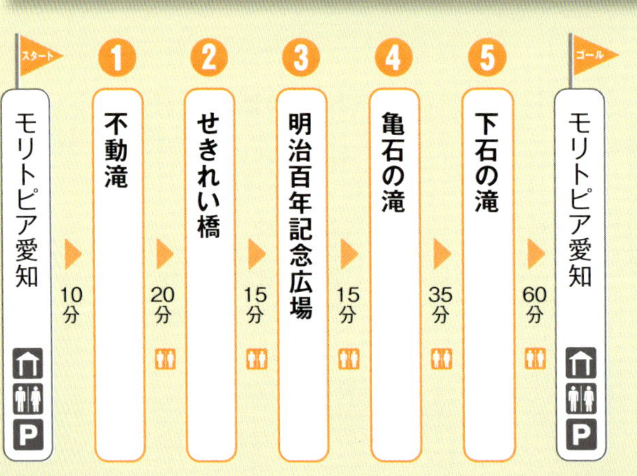

ハイキングデータ

標高

健康な大人であれば楽しめる程度

遊歩道沿いにあり便利

大柴不広場にあり

モリトピア愛知にあり

おすすめの時期

4月上旬には桜、下旬にはホソバシャクナゲ、11月には紅葉が楽しめる

右上／「森林浴の森百選」、「水源の森百選」にも選ばれた鳳来寺県有林地内に開設された森だけあって美しい　左上／途中の道沿いにはトイレが点在しているのもありがたい　左下／落差40mもある滝。整備された森でありながら、まさに大自然のままの風景を味わえる

愛知県民の森は健康増進とレクリエーションを目的として自然の森の中に作られた清流が楽しめる森。さまざまなレベルのハイキングコースが整備されている。ゆるやかなアップダウンがメインのお気軽ハイキングコースから、登山レベルのわかしゃち国体でも活用された本格的登山コースまで全30kmに及ぶハイキングコースがある。ハイキングコースの地図はスタート地点となるモリトピア愛知(愛知県民の森管理事務所)で配布しているので、まずは立ち寄り、コースの確認をしておこう。今回おすすめする一般的なお手軽コースではまず❶不動滝へ。かえで展示林や県の木展示林などを抜け、川沿いに歩いていくと❷せきれい橋に出る。樹林帯を抜けると、今度は❸明治百年記念広場に到着。広場から左手に進むと、大津谷林道で❹亀石の滝へ向かう。急な登りを過ぎれば❺下石の滝も近い。

おすすめスポット

モリトピア愛知　日帰り入浴

ハイキングのあと汗をかいてしまったら、「モリトピア愛知」の日帰り入浴施設でゆっくりお湯に浸かろう。

スタート地点までのアクセス

愛知県新城市門谷字鳳来寺7-60

アクセス

新東名新城ICからR151を北へ約15km、車で約20分。新東名浜松いなさJCT経由・三遠南信自動車道(無料)・鳳来峡ICよりR151を北西へ約6km

駐車場

モリトピア愛知のすぐ近くに約200台駐車可能な無料駐車場あり

❓ 県民の森事務所　☎0536-32-1262

愛知・田原市

いくつもの低山を縦走する定番コース

たはらアルプス

たはらあるぷす

歩行時間
2時間50分

難易度
★★

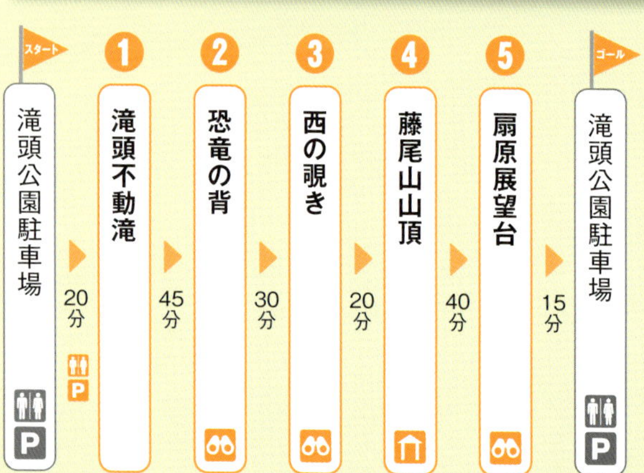

ハイキングデータ

標高 256メートル

- 健康な大人であれば楽しめる程度
- 滝頭公園、上池周辺
- 藤尾山山頂
- 滝頭公園

おすすめの時期

滝頭公園や衣笠自然道などで自生しているササユリが開花するのは6～7月頃。

右上／低山ながら魅力はこの見晴らしの良さ。天気の良い日には周辺をパノラマで見渡せる　右下／滝頭公園の目の前にある池。野鳥や昆虫達の楽園になっている　左／滝頭不動滝。落差は10メートルほど

渥美半島の中央部に位置する低山が連なる人気のハイキングコース。蔵王山、衣笠山、滝頭山、稲荷山、藤尾山といった山から構成され、自然歩道が整備されている。レベルや展望、山野草探訪、のんびり里山歩きなど好みに応じていくつものコースを自分で考えながら組み立てられるのが魅力だ。事前にマップを入手し、分岐点には注意したい。スタートとなる滝頭公園は設備も充実。滝頭公園の上池・下池を通過して滝頭不動へと続く道へ。途中、渥美半島唯一の滝❶滝頭不動滝に立ち寄りたい。周りには石仏が並び、神聖な雰囲気が漂う。そこから岩場を登ると、山頂近くには❷恐竜の背と呼ばれる奇岩があり、そこから滝頭公園が一望できる。❸西の覗きを通り、休憩するなら❹藤尾山山頂の東屋のベンチで一休み。衣笠山などを眺めて、疲れを癒したら、❺扇原展望台へ向かい、駐車場へ。

おすすめスポット

滝頭公園

多目的広場、テニスコート、親水広場、キャンプ場などが整備されており、春には桜、秋には紅葉を見ながらBBQが楽しめる。

スタート地点までのアクセス

田原市田原町西滝頭6（滝頭公園）

アクセス

東名豊川ICより車で約60分。三河田原駅より「ぐるりんバス　市街地」右回り乗車滝頭公園まで7分

駐車場

滝頭公園には135台分の駐車場あり。無料

❓ 渥美半島観光ビューロー　☎0531-23-3516

すがすがしい滝のある渓谷　行基の古跡も

岩屋堂公園

いわやどうこうえん

歩行時間
約1時間10分

難易度
★★

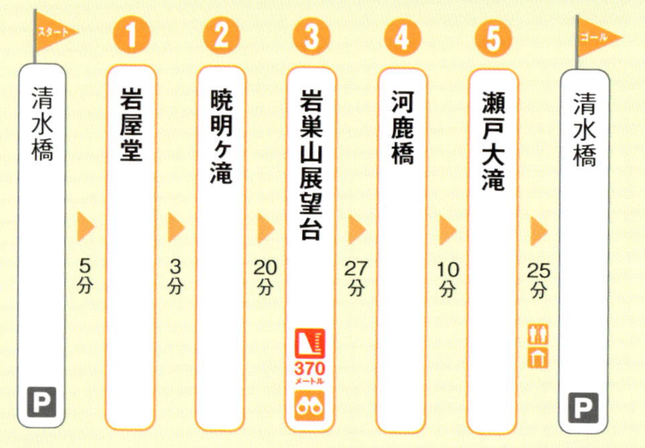

ハイキングデータ

標高 215メートル～370メートル

急な坂道あり

数ヶ所あり

なし

岩屋堂公園園地内にあり

おすすめの時期

マイナスイオンたっぷりの初夏の頃がおすすめ

② 暁明ケ滝

右上／暁明ケ滝でマイナスイオンを浴びよう　左上／紅葉も有名。もみじが川にアーチ状にかかり美しい　右下／名僧行基がここで仏像を彫ったという伝説が残っている岩屋堂

新緑や紅葉、ホタルなど、名古屋近郊で自然に親しめる瀬戸の奥座敷。「岩屋堂」の名称は、奈良時代の名僧行基が岩窟内で聖武天皇の病気平癒を祈願した跡に建立された「岩屋山薬師堂」にちなむ。岩屋堂に参拝し、鳥原川の渓谷と滝の織りなす清々しい自然をめぐる。入口の駐車場から清水橋を渡り、スタート。川原は舗装されて歩きやすい。なだらかな斜面を上ると、すぐに❶岩屋堂に着く。巨石が重なり合ったような形。中には仏像がずらりと並んでいる。❷暁明ケ滝はすぐその奥。引き返し、東海自然歩道に入る。険しい斜面で、木製の不規則な階段がついている。このまま左へ進めば480mの岩巣山へ至るが、そのまま引き返し、岩屋堂公園へ。❹河鹿橋を通り、❺瀬戸大滝の方へ。以前は滝の水が流れており、その跡が見られる。そこからは再び川沿いを歩いて帰る。

おすすめスポット

道の駅瀬戸しなの

岩屋堂から車で約10分。せとものの町らしく、せとものの器に盛られた料理が味わえるほか、産直野菜や名産「瀬戸豚」が購入できる。

スタート地点までのアクセス

愛知県瀬戸市岩屋町

アクセス
東海環状自動車道せと品野ICより約10分。名鉄瀬戸線尾張瀬戸駅より名鉄バス「上品野・しなのバスセンター」行き乗車、「品野本町」より徒歩30分

駐車場
180台あり（一部有料）

❓ 瀬戸市まるっとミュージアム・観光協会　☎0561-85-2730

渓谷の風流　旧街道をたどる散策コース

足助・香嵐渓

あすけ・こうらんけい

歩行時間
約2時間30分

難易度
★★

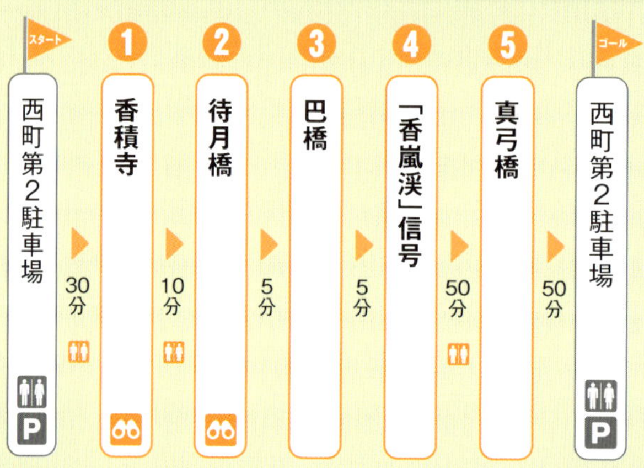

ハイキングデータ

標高　115メートル～150メートル

- 風景を楽しみながら歩けるコース
- 駐車場、足助交流館ほか各所にあり
- 三州足助屋敷と待月橋の間にあり
- なし

おすすめの時期

通年楽しめるが、11月は香嵐渓もみじまつりが開催される。混雑するので余裕を持って行動しよう

右上／深い木々と清いせせらぎが訪れる人の心を癒してくれる　左上／曹洞宗の古刹。三栄和尚が植えたとされる杉の木も残る　左下／通りが約2kmにわたって、国の重要伝統的建造物群保存地区に指定されている

巴川の風情ある渓谷美とカタクリなどの山野草、そして紅葉が有名な香嵐渓。古くは街道の宿場町として栄えた足助の町並み散策も付け加えれば、自然と歴史を満喫できる。まずは香嵐渓を行く。紅葉があまりにも有名だが、四季折々の美しさがあり、夏場も川遊びやピクニックなどでにぎわう。川沿いはよく整備されていて歩きやすい。130段の石段を上ったら❶香積寺だ。同寺十一世の三栄和尚がカエデなどを植え始めたのがここのもみじの始まりだという。❸巴橋からの川の全景はすばらしい。❹香嵐渓の信号を渡ったら、ここから足助の町並みへ。江戸時代から残る旅籠が今も旅館として営業しており、白い漆喰の壁と木造の町屋の家並みが往時をしのばせる。商店も多く、寄り道時間がかかりそうだ。❺真弓橋からの復路は川岸に降りれば、また違った景色を楽しめる。

おすすめスポット

三州足助屋敷

炭焼き、紙すきといったかつての中山間地の暮らしの手仕事が実演されている「生きた民俗資料館」。体験できるものもある。

スタート地点までのアクセス

愛知県豊田市足助町

アクセス

東海環状自動車道「豊田勘八IC」より国道153号で約15km、同「豊田松平IC」より県道39号で約15km。猿投グリーンロード「力石IC」より国道153号で約10km

駐車場

西町第1、第2駐車場、宮町駐車場、中央駐車場などあり

? 豊田市足助観光協会　☎0565-62-1272

愛知・豊田市

自然美に見ほれる巨石と清流の渓谷ウォーク

王滝渓谷

おうたきけいこく

歩行時間
約1時間50分

難易度
★★

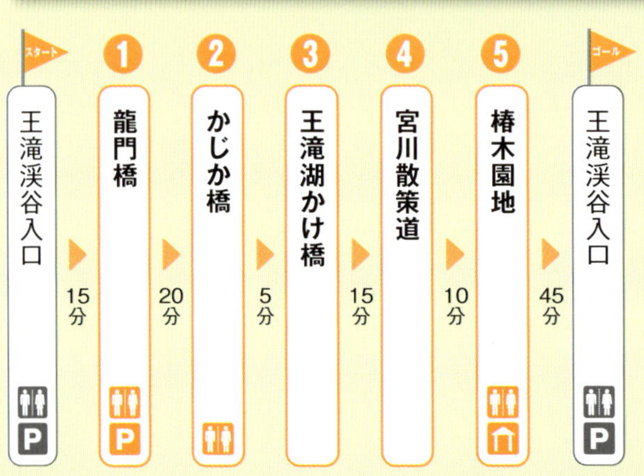

ハイキングデータ

標高 60メートル～210メートル

- 道が整備されていて歩きやすい
- 駐車場ほか龍門園地、椿木園地、王滝湖園地など
- 龍門園地、椿木園地、王滝湖園地
- なし

おすすめの時期

おすすめの時期:3月下旬は梅、4～5月は桜と新緑、11月～12月初めは紅葉が楽しめる

右上／苔むす岩の間を仁王川が駆け抜ける　左上／王滝湖かけ橋。それぞれ趣の異なるいくつもの橋を渡りながら上流に上っていく　左下／宮川散策道。木々と水の流れる日本的な美しさの風景がここで一変する

巨石や巨岩の間を駆け抜けるように下る仁王川の清流のつくりだす渓谷美を楽しむハイキング。川沿いには複数の園地があり、花や紅葉なども見もの。豊かな自然を満喫できるはずだ。渓谷入口をスタートし、まずは❶龍門橋を渡る。ここにある龍門園地は手つかずの自然が残されており、苔の生えた巨石や人ひとり通れるほどの細い道など、王滝渓谷の渓谷美を最も楽しめる。❷かじか橋、全長90mの❸王滝湖かけ橋を渡り、王滝湖園地を見渡したあとは、いよいよ迫力満点の❹宮川散策道へ。でこぼこの砂地や巨石の上、重なった岩の隙間をくぐりぬける。足場が悪く、川が増水して道が変わってしまうこともあるので、注意が必要だ。再び小さな橋を渡って右岸へ、梅や椿、モクレンなどの花が楽しめる❺椿木園地を通る。そのまままっすぐ進み❶龍門橋を渡って駐車場へと戻る。

おすすめスポット

松平郷園地

王滝渓谷入口から車で約20分。徳川家のルーツ・松平氏発祥の地である松平郷に整備された約2ha.の園地。松平東照宮など松平氏ゆかりの史跡が多く残る。

スタート地点までのアクセス

愛知県豊田市王滝町興市田

アクセス

東海環状自動車道「豊田松平IC」より約4km(約10分)。名鉄名古屋本線「東岡崎駅」より名鉄バス岡崎・足助線で「王滝町」下車、徒歩10分

駐車場 P

無料駐車場が多数ある。紅葉シーズンは混雑するので注意

❓ 松平観光協会　☎0565-77-8089

自然の神秘に心ふるえる体験

乳岩峡

ちいわきょう

歩行時間
約3時間

難易度
★★

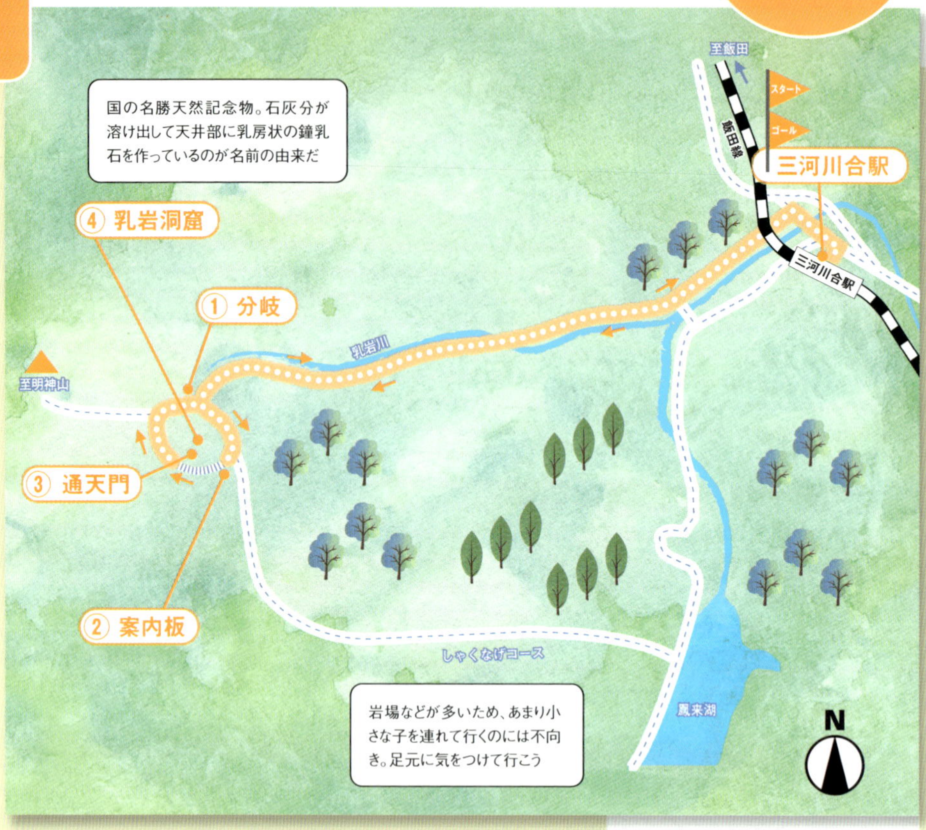

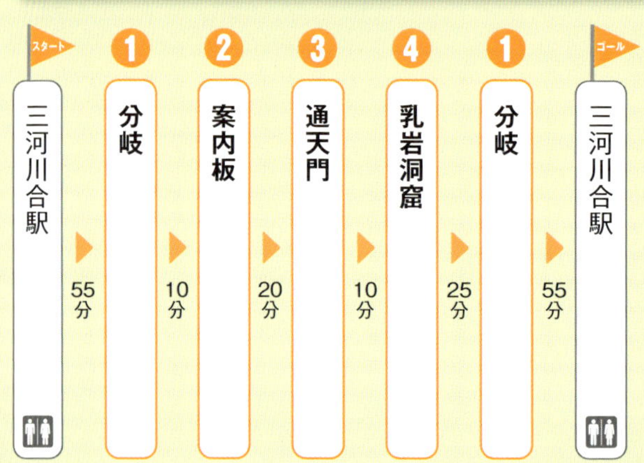

ハイキングデータ

標高 180メートル～420メートル

滑りやすい場所もあるのでトレッキングシューズで行こう

トイレ：あり

休憩所：なし

売店：なし

おすすめの時期

通年登ることができるが、特に秋は紅葉がきれい。新緑のシーズンもおすすめ

右上／通天門。自然の造形に圧倒される　左上／乳岩の鍾乳洞の中から下を望む。眼下の自然に吸い込まれそう　左下／乳岩川はエメラルドグリーンの水が神秘的。川遊びだけでも満足できる

国の名勝天然記念物。最初は乳岩川に沿って沢道を行く。目を見張るような清流だ。濡れた岩で滑らないように注意しよう。

樹林帯へ入ると木の根の剥き出すでこぼこ道になる。明神山との❶分岐を経て山道を進み、いよいよ乳岩山の上り口。「乳岩一巡」の❷案内板がある。岩にへばりつくように続く鉄製の階段はすぐに勾配が急になり、ついにはハシゴ状に。冒険気分を味わって❸通天門に至る。自然の作り出した石の門。明神山の方を望んで、休憩タイム。そこから再び階段を下って上って、先に開ける最後のハイライトが❹乳岩洞窟だ。眼下は絶景、周囲にはたくさんの観音様がまつられた神秘的な洞窟だ。階段を降りて乳岩洞窟下の分岐の地点❶へ戻れば、あとは往路と同じ道で戻る。

おすすめスポット

鳳来湖

昭和30年代に造られた宇連ダムのダム湖。乳岩から2時間ほどで歩いても行ける。紅葉シーズンに特ににぎわう。

スタート地点までのアクセス

愛知県新城市川合字乳岩

アクセス

三遠南信自動車道鳳来峡ICより約3km、新東名「新城」ICより約20km。JR飯田線「三河川合駅」下車より徒歩（約3km）

駐車場

休日のみ民営駐車場あり

新城市観光協会　☎0536-29-0829

ハイキングをしながら、寺社仏閣めぐりが楽しめる

鳳来寺山

ほうらいじさん

歩行時間
約2時間10分

難易度
★★

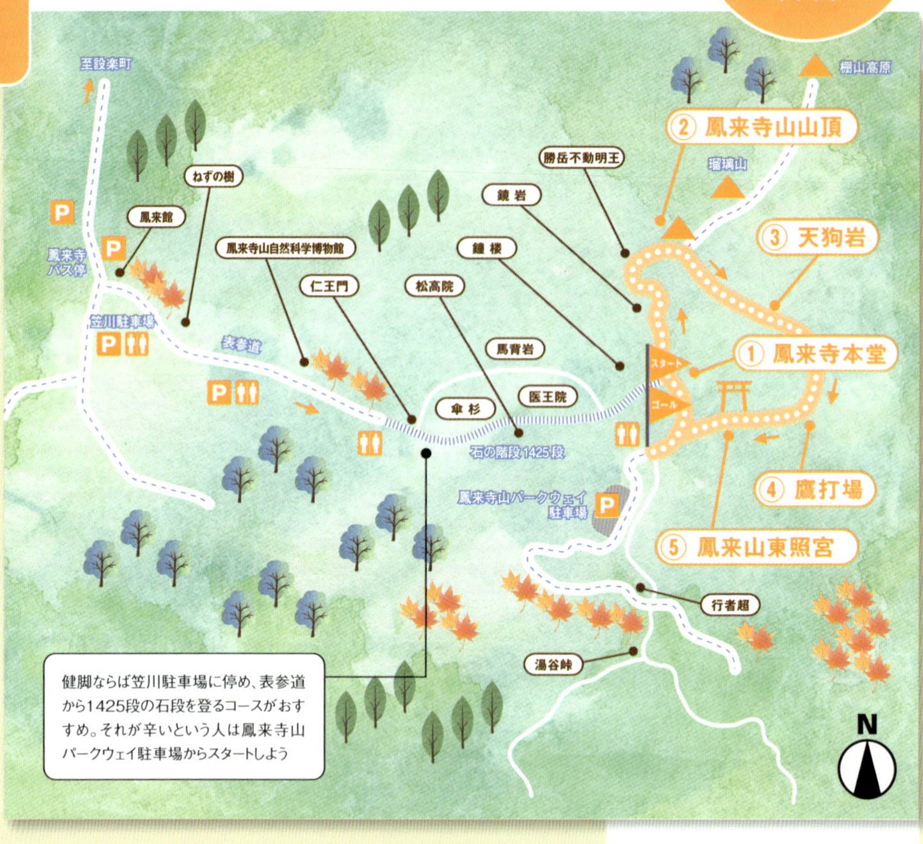

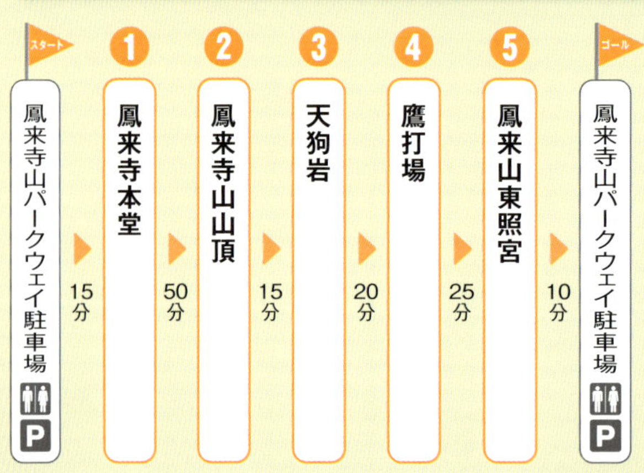

ハイキングデータ

標高 476メートル～684メートル

多くの人が行き交う整備されたコース

東照宮と鳳来寺本堂の間
※パークウェイのトイレは古いため
こちらがベター

鳳来寺本堂田楽堂で休憩可

なし

おすすめの時期

特に紅葉シーズンは多くの人でにぎわう

右上／切り立った岩壁と深い森が特徴。仙人伝説があるのも頷ける　左上／703年、飛鳥時代に建立されたと伝わる鳳来寺　左下／山頂までは東海自然歩道を歩く。急な階段だが手すりもある

山全体が国の名勝・天然記念物に指定されており、深い樹林と岩石のダイナミックな自然を感じながら、1300年の歴史を持つ古刹・鳳来寺と徳川家康を祀る東照宮をめぐる。登山に慣れているなら、ふもとから1425段の石段を上る表参道から行くのがおすすめ。初心者は中腹の**駐車場**まで車で行こう。

スタートしてほどなく**⑤鳳来山宮東照宮**があるが、石段は上らずまずはその先にある**①鳳来寺**へ。ここにある田楽堂からの眺望は見事だ。参拝後、山頂を目指そう。山道は急な階段もあるが舗装されており危険はない。見晴らしは**②山頂**よりも、**③天狗岩**や**④鷹打場**の方が絶景が望める。絶壁なので足元に注意。あとは道を下り、最後に**⑤鳳来山東照宮**に参ろう。

おすすめスポット

湯谷温泉

パークウェイ駐車場から車で約10分、JR飯田線「湯谷温泉駅」周辺の温泉郷。日帰り湯が可能なところも。

スタート地点までのアクセス

愛知県新城市門谷字鳳来寺

アクセス
新東名高速「新城IC」より約14km、東名高速「豊川IC」より30km、三遠南信自動車道「鳳来峡IC」より13km

駐車場
山頂付近「鳳来寺山パークウェイ駐車場」(有料)ほか、ふもとの表参道付近に数ヶ所

❓ 新城市観光協会　☎0536-29-0829

愛知・瀬戸市

親子で自然散策するのにちょうどいいサイズ感

海上の森

かいしょのもり

歩行時間
2時間20分

難易度
★★

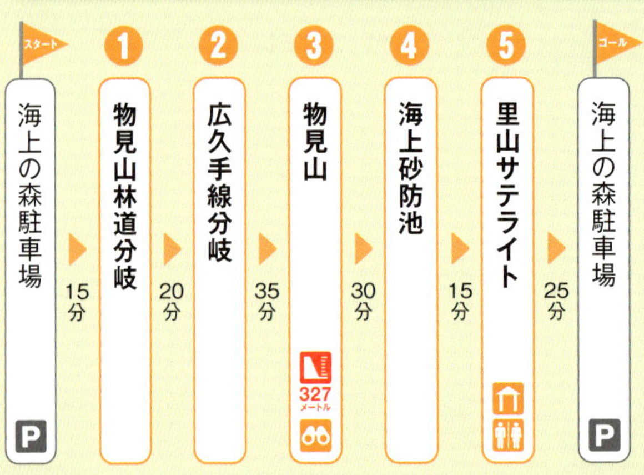

ハイキングデータ

健康な人なら歩けるレベル

里山サテライト、あいち海上の森センター本館など

里山サテライトに休憩所あり

あいち海上の森センターにあり

おすすめの時期

通年。春から秋。海上砂防池、物見山山頂からの景色がおすすめ

右上／昭和50年に築造された砂防ダムによりできた池。農業用水としても利用されている。別名「大正池」とも呼ばれる　左上／森の中には複数の池があり、水生生物たちが多く棲んでいる　左下／水辺ではさまざまな種類のトンボを見ることができる

2005年に開催された「愛知万博」の原点である、海上の森は、森林や里山に関する学習と交流の拠点として保全されている。大自然というよりは、人の手が入り多様性に満ちている。ここではハイキングや低山トレッキングが楽しめ、自然観察の場として人気がある。駐車場は2カ所あり、あいち海上の森センターと海上の森駐車場。海上の森駐車場からスタートして、❶物見山林道分岐を右側へ。ゲートを通り林道に沿って歩き、❷広久手線分岐を経由。物見山下を右へ折れ、階段を上がり❸物見山を登り切ると見晴らしのいい展望台がある。ここでひと休憩したら、下って❹海上砂防池で水辺の散策。❺里山サテライトは味わいのある佇まいの休憩所だ。土壁と土間のある古民家で、縁側や井戸もある。

おすすめスポット

あいち海上の森センター

敷地内にある「あいち海上の森センター」では、自然に関するさまざまな資料展示やイベントなどが開かれる。時間があればぜひ立ち寄りたい。

スタート地点までのアクセス

愛知県瀬戸市海上町（海上の森駐車場）

アクセス

愛知環状鉄道山口駅から徒歩25分、猿投グリーンロード八草インター・八草東インターから車で10分

駐車場

森の入口駐車スペース、あいち海上の森センター本館前に無料駐車場あり

❓ あいち海上の森センター　☎0561-86-0606

天狗伝説が残る森の中を探索する

面ノ木園地

めんのきえんち

歩行時間
2時間

難易度
★★

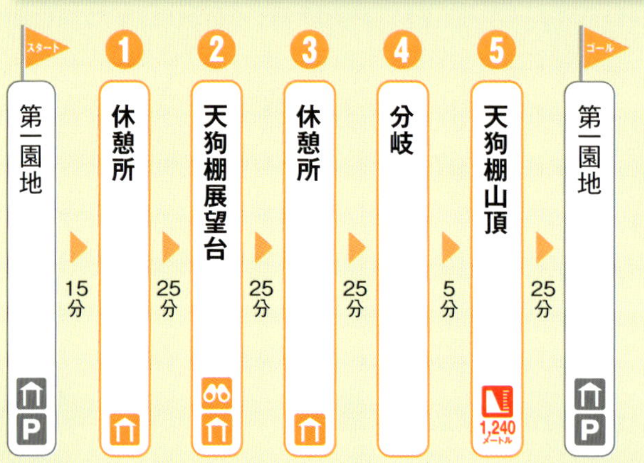

ハイキングデータ

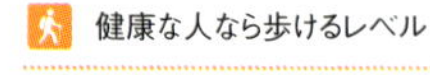

- 健康な人なら歩けるレベル
- 面ノ木ピット
- ルート内に数ヵ所あり
- なし

おすすめの時期

春は新緑やツツジ、夏はアジサイ、秋は紅葉、冬は霧氷など通年楽しめる

右上／展望台からは岩古谷山や明神山、茶臼山などが見える。空気の澄んだ日には富士山が望めることもある　左上／冬には美しい樹氷を見ることもできる　左下／原生林の間を歩いていく。新緑の季節には緑が押し寄せてくるようだ

標高1,240mの高さにある天竜奥三河国定公園内にある自然園地。標高が高く涼しいため夏も快適にハイキングができ、駐車場、公園、登山道、展望台などが整備されているので、ビギナーでも気軽に山登りが楽しめる。園地には広葉樹の原生林、自然林や湿地帯などがあり、高山植物など貴重な動植物も多く生息。春夏秋冬それぞれの風景が楽しめるのも特徴の一つだ。ここは鎌倉時代から大天狗の棲む霊山として崇められている。伝説では大天狗のもとに子天狗たちが各地から集まり、近くの石の広場で神霊、神意、神術を修練したなど、数多くの天狗伝説に想いを馳せながら歩くのも楽しい。**第一園地**近くの駐車場に車を置いたら、**②天狗棚展望台**を目指そう。**③休憩所**で一休みしたら、いよいよ**⑤天狗棚山頂**へ。ブナの原生林などが広がり、歩くのも心地良い。

おすすめスポット

面ノ木ピット

2021年4月に無料の休憩スペース「面の木ピット」がオープン。1グループに付き1時間以内に限り、自由に使える個室の休憩スペースになっている。

スタート地点までのアクセス

愛知県北設楽郡設楽町津具高笹3-67（天狗棚展望台）

アクセス

新東名新城ICから車で約90分

駐車場

第一園地近くに200台の無料駐車場がある。面ノ木ピットにもあり

設楽町観光協会　☎0536-62-1000

名古屋近郊で三山縦走の充実トレッキング

弥勒山・大谷山・道樹山

みろくやま・おおたにやま・どうじゅさん

歩行時間
約3時間

難易度
★★★

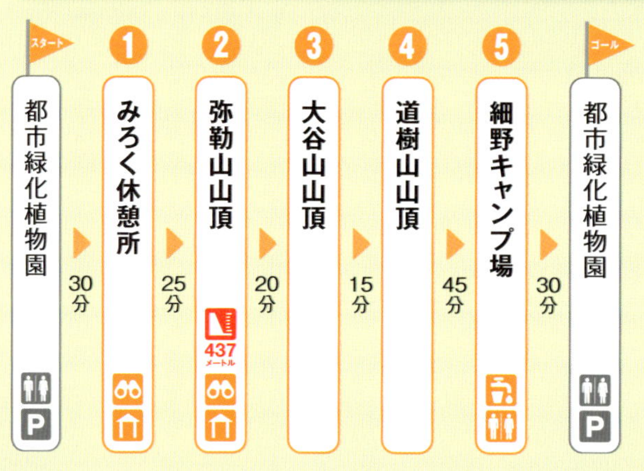

ハイキングデータ

- 登山レベルのため装備を整えて出発を
- 植物園内ログハウス、細野キャンプ場
- みろく休憩所、弥勒山山頂、道樹山山頂付近
- 植物園内ログハウス、細野キャンプ場

おすすめの時期

春、秋がおすすめ。少年自然の家に泊まってトレッキングを楽しむなら初夏もいい

右上／弥勒山に登頂すると視界が広がる。名古屋駅の高層ビルに、遠く伊勢湾までの展望　左上／弥勒山山頂の展望台　左下／都市部にあって、新緑や紅葉など四季折々の自然を感じられる山だ

名古屋市とその近郊から気軽に山登りが楽しめる人気の「春日井三山」。学校のイベントや家族連れなどで子どもの姿も多い。ふもとにある植物園からスタート。まず一番高い437mの弥勒山に向け、登る。山道は整備され安全に歩ける。30分たらずで❶みろく休憩所に着く。ほかにも道中のところどころにベンチあり。山頂につづく東海自然歩道に入る手前で坂が急になるので、もうひと頑張り。❷弥勒山山頂は、お待ちかねのビューポイントだ。展望台からは伊吹山や名古屋駅ビルまで見渡せる。ここからは稜線伝いに425mの❸大谷山、429mの❹道樹山へ。尾根道は緩やかな上り下り。最後、道樹山を下る山道は長い階段で、山頂付近は傾斜も急。逆コースで道樹山から登るなら、ここが難所だろう。ふもとの秋葉神社と❺細野キャンプ場を経て、植物園までは一般道。下山後は植物園でゆっくり休憩したい。

おすすめスポット

都市緑化植物園（グリーンピア春日井）

バラ園やハーブ園、梅園や果樹園など緑と花にあふれる憩いの場。ポニーやウサギといった動物とも出会える。

スタート地点までのアクセス

愛知県春日井市細野町3249-1（都市緑化植物園）

アクセス

東名高速「春日井IC」より約20分、JR中央本線「高蔵寺駅」より北口名鉄バス「植物園行き」で約20分、終点「植物園」下車

駐車場

都市緑化植物園の駐車場あり

? 春日井市産業部経済振興課　☎0568-85-6244

マイナスイオンを浴びながら滝めぐり

付知峡 不動公園遊歩道

つけちきょう　ふどうこうえんゆうほどう

歩行時間
約40分

難易度
★

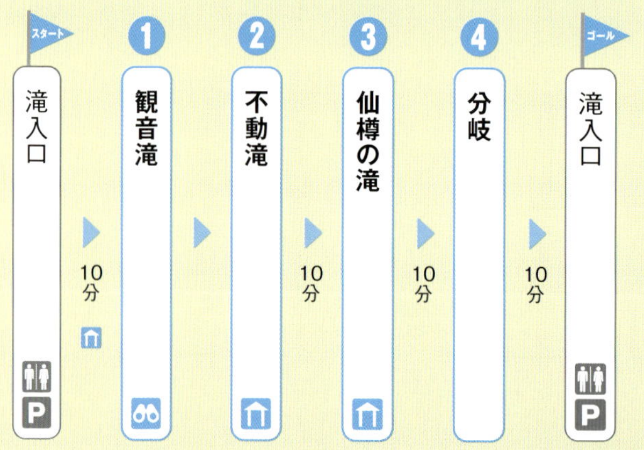

ハイキングデータ

標高 標高差 150メートル

- コース内に吊り橋があるので高いところが苦手な人は注意
- 不動公園駐車場にある
- 遊歩道内に3ケ所ある
- なし

おすすめの時期

4月は水芭蕉、5月は山吹、ツツジ、シャクナゲ、新緑、10月下旬～11月中旬にかけては紅葉が見頃を迎える

右上／観音滝。遊歩道がある一帯は不動渓谷と呼ばれ、男谷の別名も。ダイナミックな景色が広がる　左上／不動滝には、暗殺された和尚の袈裟が川を逆流して流れ着いたという伝説が残る　左下／(5月)遊歩道ではシャクナゲの花も見られる

別名「青川」と称される付知川沿いに広がる付知峡は、「森林浴の森日本100選」「岐阜県の名水50選」「飛騨・美濃紅葉33選」に選ばれている景勝地。なかでも、森林浴におすすめなのが不動公園内にある遊歩道だ。滝入口からスタートし、まずは❶観音滝、❷不動滝をめぐる。不動滝の美しいエメラルドグリーンの水は見飽きることのない美しさ。目に焼き付けつつ、マイナスイオンもたっぷり補給しておこう。

続いて、吊り橋を渡って❸仙樽の滝へ。落差14メートル、幅8メートルの滝はまさに圧巻！ 東屋もあるので休憩にもぴったりだ。再び吊り橋を渡ったら、遊歩道をゆっくりたどってゴールを目指す。❹分岐をまっすぐ進めば10分ほどで到着。なお、遊歩道は整備されていて歩きやすいが滑りやすい箇所も。歩きやすい靴で行くようにしたい。

おすすめスポット

攻橋、本谷橋からの眺め

付知川にかかる攻橋や本谷橋から見る新緑、紅葉は格別。不動公園から車で数分ほどなので、ぜひ訪れよう。

スタート地点までのアクセス

岐阜県中津川市付知町

アクセス
中央道・中津川ICより国道19・257・256号線、県道486号線を北上、約45分

駐車場
不動公園駐車場に停めよう。無料、約100台

付知町観光協会　☎0573-82-4737

4コースから経験や体力に合わせて選べる

みのかも健康の森

みのかもけんこうのもり

歩行時間
約1時間10分

難易度
★

ハイキングデータ

標高 176メートル～357メートル

4コースあり、どれも整備されていて歩きやすい

森の交番（管理棟）にあり

コース内にあり

森の交番（管理棟）にあり

おすすめの時期

園内では500種以上の植物があり、クレナイ、ハンゲショウ、ササユリ、ヤマアジサイ、ムクゲなどが初夏に楽しめる

右上／山頂の展望台からは、伊吹山、恵那山、御嶽山などを一望できる　左上／まずは、777段の階段を登って「よろこびの砦（高木山山頂）」を目指す　左下／美濃加茂市の天然記念物「ヒカゲツツジ」が園内に群生している。4月に満開となる

128ヘクタールもの面積を誇る「みのかも健康の森」。ヤマザクラやヤマツツジ、カエデなどの樹木が、50種4万7,000本あまり植えられており、森林浴を楽しみながら歩くことができる。ハイキングコースは、初級、中級2コース、上級の4コースあり、経験や体力に合わせて選べる。

今回紹介するのは、「もみじの小路コース」。小学生以上に推奨している中級コースだ。駐車場から❶777段の階段を登って「よろこびの砦」と呼ばれる高木山山頂へ。ここからは、伊吹山や恵那山、御嶽山を眺めることができる。新緑や紅葉の時期には風情ある眺めを楽しみながら歩ける❷もみじの小路を抜け❸あじさいの池から駐車場へ。およそ2kmの道のりを1時間10分を目安に歩くハイキングは、その季節の自然を愛でる楽しみもある。

おすすめスポット

ぎふ清流里山公園

昭和30年代の里山の風景を再現。昭和グルメや懐かしい体験を通じて里山の暮らしに触れながら、ゆったりとした時間を過ごせる。

スタート地点までのアクセス

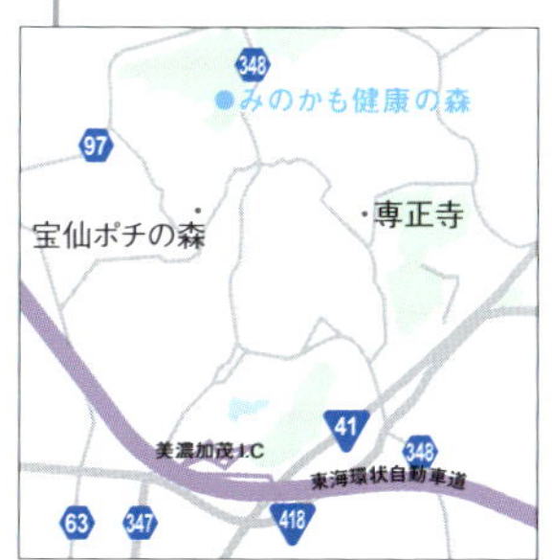

岐阜県美濃加茂市山之上町7559

アクセス

東海環状自動車道美濃加茂ICから、国道41号バイパスを経由し県道山之上古井線を三和方面へ約10分。JR高山線美濃太田駅から車で20分

駐車場

県道山之上古井線沿いに1ヶ所、園内に2ヶ所あり、合計300台。無料で停められる

❓ みのかも健康の森　☎0574-29-1108

春は桜、秋は紅葉が見事。子ども連れもOK！

養老公園

ようろうこうえん

歩行時間
約1時間

難易度
★

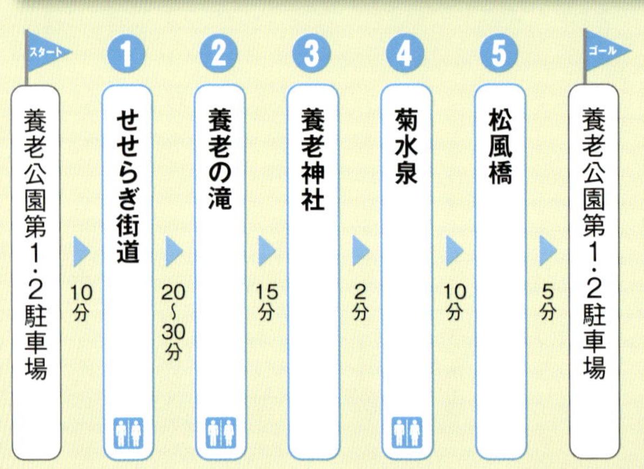

ハイキングデータ

- 幼児や不慣れな人でも歩きやすい
- 園内の橋の付近に8ヵ所
- 散策路にベンチあり
- なし

おすすめの時期

春は桜、秋は紅葉を目当てに大勢の人たちが訪れる。川沿いのため夏は涼しく、暑気払いにもぴったり

右上／菊水泉の近くにある不老ヶ池。水面に映る紅葉が美しい　左上／養老の滝は高さ30メートル、幅4メートル。養老の滝の水がお酒になったという噂を聞いた元正天皇はこの地を訪れ、その後、元号を「養老」に改めたという　左下／春には約3000本の桜が咲き誇る。伝説めぐりと四季折々の自然を楽しめるのが養老公園の魅力

養老の滝をはじめ、岐阜県こどもの国、養老天命反転地、スポーツ施設を備えた養老公園は、一日中遊べるレジャースポット。園内はそぞろ歩くだけでも十分楽しめるが、今回は「養老孝子」伝説をめぐるコースを紹介する。まず、第1・2駐車場をスタートし、❶せせらぎ街道を通り過ぎて❷養老の滝へ。その昔、源丞内という孝行息子が養老の滝を見て「父が大好きなお酒だったらなあ」と思ったところ、滝のそばにお酒が湧き出るようになったという。これが「養老孝子」伝説だ。❸養老神社の脇にある❹菊水泉は、お酒が湧き出た泉といわれている。養老寺は源丞内が開いたとされ、不老長寿のご利益があるとか。途中、養老孝子坂にはお土産屋さんがあり、焼き立てのお団子なども売られているのでひと息つこう。その後、❺松風橋を渡ったらゴールだ。

おすすめスポット

こどもの国

養老公園内にある子どものための遊び場。「こどもの家」では、お話の日、工作体験など毎月さまざまなイベントを開催。

スタート地点までのアクセス

岐阜県養老郡養老町高林1298-2

アクセス

東海環状道・養老ICより県道213・56号線を西に約10分。または養老鉄道「養老」駅下車すぐ

駐車場

園内の駐車場を利用しよう。園内無料。約1000台。民営管理駐車場は全日有料

? 養老公園事務所　☎0584-32-0501

国定公園に含まれる、緑豊かな森

日本ライン うぬまの森

にほんらいん うぬまのもり

歩行時間
約1時間20分

難易度
★

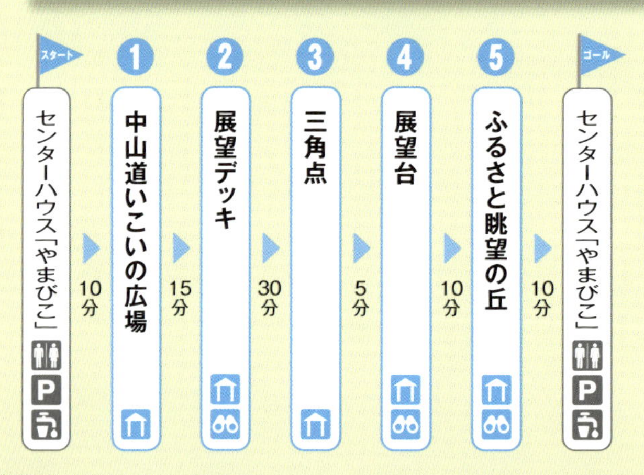

ハイキングデータ

標高 120メートル〜240メートル

よく整備されているため、歩きやすい

センターハウスにあり

いこいの広場、展望台などにあり

センターハウス、ふれあい広場

おすすめの時期

春、初夏。春はサクラ、マンサク、ツツジが、初夏には紫陽花が見頃を迎える

右上／うぬまの森からは、「日本ライン」の名で知られる木曽川の美しい渓谷の景色を楽しめる　左上／展望台。各務原市、日本ライン、愛知県犬山市などを一望できるので、ぜひ上がってみよう　左下／旧中山道のうとう峠は、梅雨の時期になると満開のあじさいを見ながら散策ができる

日本ラインとは木曽川中流に広がる渓谷のこと。そのすぐそばに広がるうぬまの森は、飛騨木曽川国定公園に含まれ、名勝木曽川を含む雄大な眺望を楽しめる。森をめぐるコースはいくつもあるが、センターハウス「やまびこ」を起点にすると駐車場が近くて便利だ。まずは、旧中山道のうとう峠を進み、❶中山道いこいの広場へ。そのまませせらぎの道を進むと、❷展望デッキが見えてくる。眼下に広がる日本ラインを眺めながら小休止したら、まんさくの道、健脚の道、さえずりの道を進み、❸三角点で折り返す。

日本ラインの道を行くと、途中に❹展望台、❺ふるさと眺望の丘がある。それぞれから、各務原アルプスや御嶽山、鵜沼の街並み、犬山城の景観を満喫したら、萩の道を通り、センターハウス「やまびこ」へと戻ろう。

おすすめスポット

中山道・鵜沼宿

日本ラインうぬまの森から車で約5分。中山道69宿のうち、東から52番目の宿場町。江戸時代の宿場町の雰囲気を体感できる。場所／岐阜県各務原市鵜沼東町〜西町。

スタート地点までのアクセス

岐阜県各務原市鵜沼字石山6529-2（センターハウスやまびこ）

アクセス

東海北陸自動車道・岐阜各務原ICより国道21号線を北東へ約40分。JR高山本線「鵜沼」駅、名鉄「新鵜沼」駅から徒歩30分

駐車場

「センターハウスやまびこ」近くにある駐車場を利用。無料、約50台

❓ 各務原市役所農政課　☎058-383-1111

初めての各務原アルプスにおすすめの山

各務原アルプス 明王山見晴台

かかみがはらあるぷす みょうおうざんみはらしだい

歩行時間 約3時間

難易度 ★★

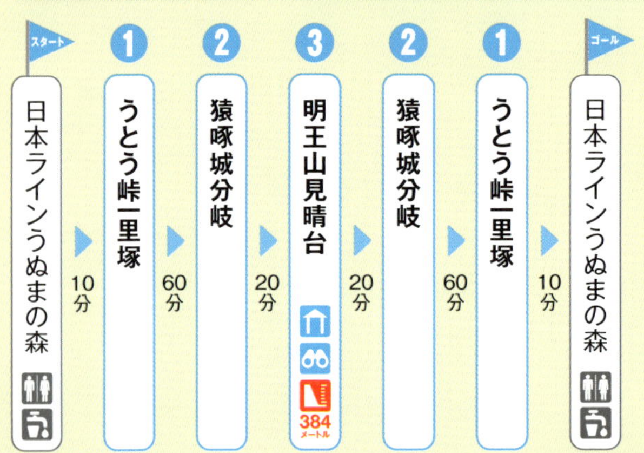

ハイキングデータ

- 整備されていて歩きやすい
- 各務野自然遺産の森にあり
- 明王山見晴らし台にあり
- 日本ラインうぬまの森内などにあり

おすすめの時期

通年楽しめるビギナー向けコース。標高がそれほど高くないため夏は暑いので、春が秋がおすすめ

右上／山頂からの眺め。正面に見えるのは御嶽山　左上／「日本ラインうぬまの森」は、飛騨木曽川国定公園と木曽川を含む環境保全林。施設内にある展望台からは、木曽川や犬山城を眺めることができる。月曜休館なので要注意　左下／南方向には、恵那山が見える。山頂付近には、4〜5月に見頃を迎えるヒカゲツツジが咲く

各務原アルプスは、各務原市の北端に位置する山々のこと。標高350mほどの稜線を縦走する登山道は整備されているが、急な坂道や岩山の道も。各務原アルプスへの初挑戦なら日本ラインうぬまの森から❸明王山見晴台を目指すコースがおすすめ。途中に分岐点が数カ所あるが、案内板があるので安心だ。出発してすぐの地点には、各務原地域に唯一残る塚❶うとう峠一里塚がある。歴史に思いを馳せ、ハイキングコース沿いを歩いて行くと尾根に出る。ここが❷猿啄城への分岐点。案内板に従い❸明王山見晴台へ。山頂の展望台からは、御嶽山、中央アルプス、恵那山、南アルプスを見渡すことができる。明王山へは、各務野自然遺産の森から上る片道90分のコースも。北コースと南コースがあり、往路と復路で変えると楽しい。

おすすめスポット

もりの本やさん

スタート地点の「日本ラインうぬまの森」には、児童書を中心とした蔵書が自慢の「もりの本やさん」がある。

スタート地点までのアクセス

岐阜県各務原市鵜沼6529（日本ラインうぬまの森）

アクセス
東海北陸自動車道岐阜各務原ICから約25分。名鉄各務原線新鵜沼駅またはJR高山線鵜沼駅から徒歩20分

駐車場
日本ラインうぬまの森25台。各務野市自然遺産の森60台

❓ 各務原市役所観光交流課　☎058-383-9925

花々を眺めながらお手軽ハイキング

伊吹山

いぶきやま

歩行時間
約1時間40分

難易度
★★

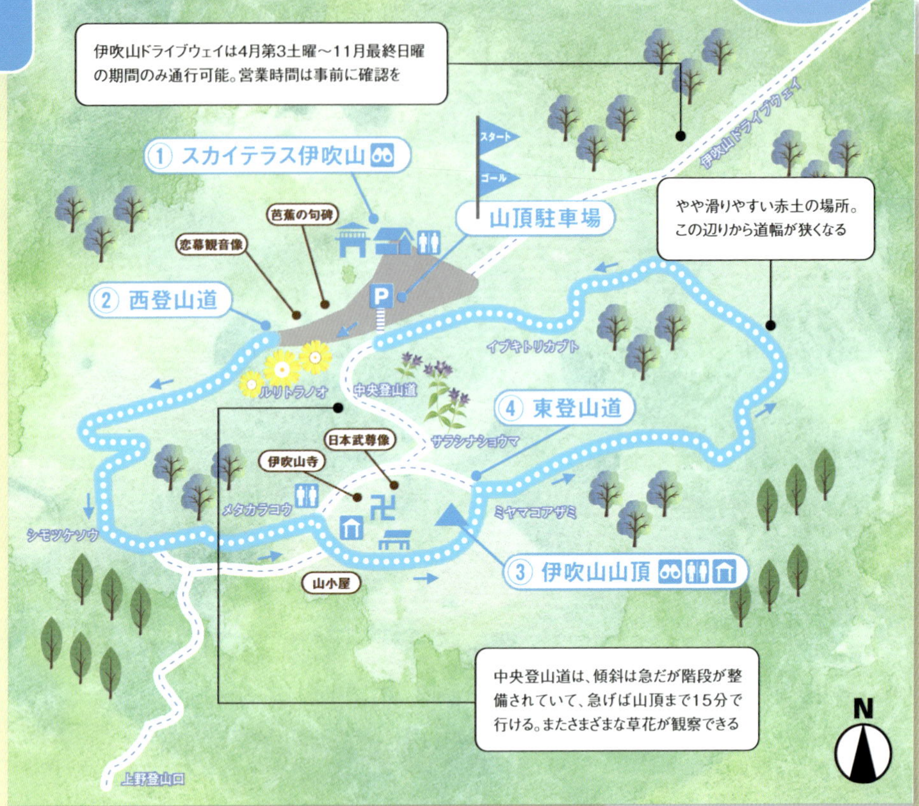

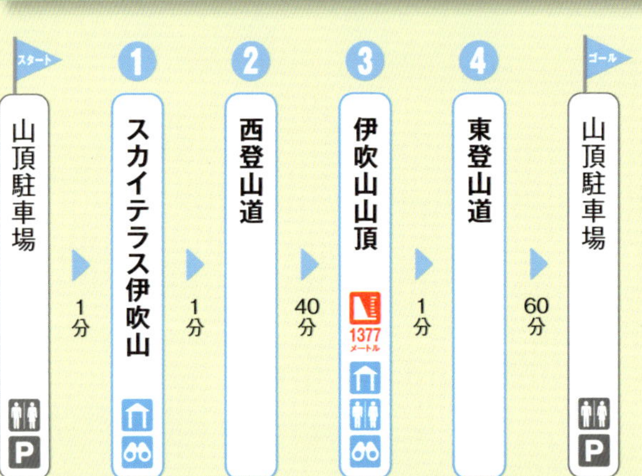

ハイキングデータ

標高 1260メートル～1377メートル

- 西登山道は穏やか、東登山道は少し歩きにくい
- 山頂駐車場内と山頂にある
- 山頂ベンチ、スカイテラス伊吹山
- なし

おすすめの時期

花を見るなら7月下旬～8月上旬、紅葉を見るなら10月下旬～11月上旬がおすすめ

右上／7月中旬〜8月上旬に夏の花々が見頃を迎える。また、山頂付近の気温はふもとと比べ8〜10℃程低く、夏は暑気払いにぴったり　左上／スカイテラス伊吹山の内観。23種類の薬草を練り込んだ薬草ソフトや伊吹山限定商品を多く取り揃えている　左下／伊吹山は日本武尊（ヤマトタケルノミコト）が訪れた場所といわれ、「古事記」や「日本書紀」にもその名が残る

伊吹山は、滋賀県と岐阜県の県境に連なる伊吹山地の南端にある。いくつもの登山道があるが、気軽にハイキングを楽しみたい人は、伊吹山ドライブウェイを利用して9合目まで進むといい。山頂駐車場に車を停めたら、まずは❶スカイテラス伊吹山へ。展望階段から琵琶湖の景色を楽もう。往路は、❷西登山道を進む。西登山道は、入口付近からたくさんの高山植物に出合えるうえに道幅が広く傾斜が緩やか。ハイキング初心者にはぴったりだ。約40分で❸伊吹山山頂に到着。日本アルプスの山並みに琵琶湖、伊勢湾…。360度の大パノラマを存分に満喫しよう。帰りは❹東登山道から山頂駐車場へ。東登山道は下り専用。イブキトリカブト等の群生を見られる一方、道幅が狭く、歩きにくい箇所も。気をつけて歩こう。

おすすめスポット

泉神社湧水

伊吹山の山麓を源とする湧水は名水百選に選ばれている。水汲み場もあり。
滋賀県米原市大清水
Tel.0749-51-9082（(一社)びわ湖の素DMO）

スタート地点までのアクセス

岐阜県不破郡関ヶ原町

アクセス
名神高速道路・関ヶ原ICより国道365号線経由で約2km車で10分、JR東海道本線「大垣」駅よりバス運行（夏季限定）

駐車場
山頂駐車場を利用。ドライブウェイ利用料込みで3,140円（軽・普通自動車）

❓ 伊吹山ドライブウェイ　☎0584-43-1155

滝めぐりでマイナスイオンをチャージ!

夕森公園

ゆうもりこうえん

歩行時間
約1時間30分

難易度
★★

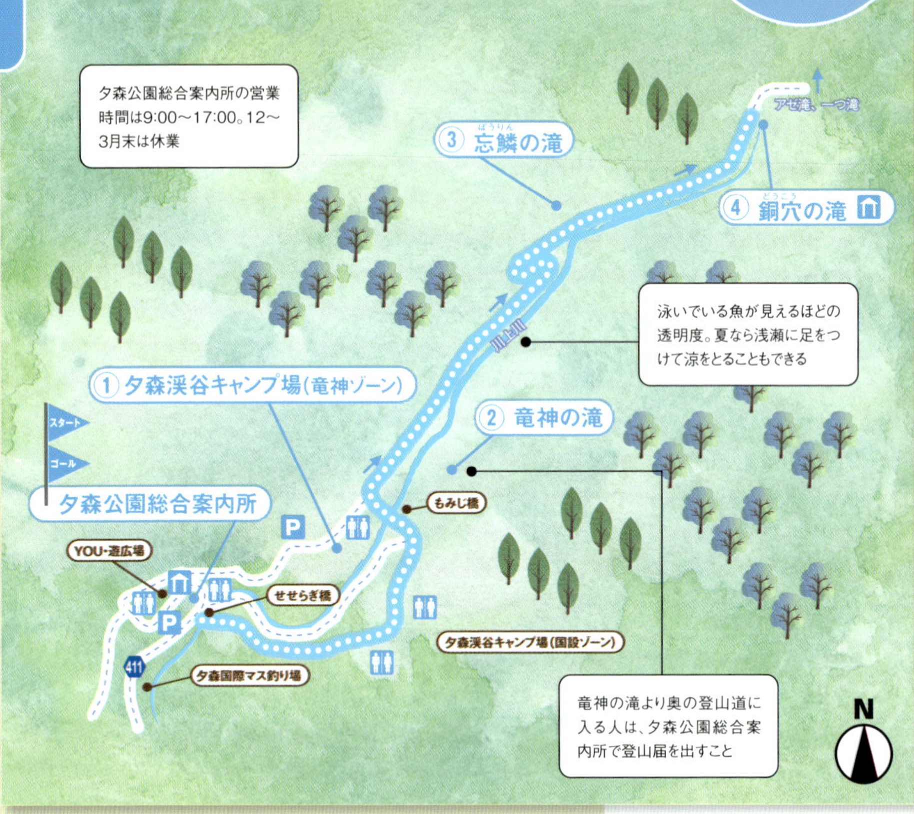

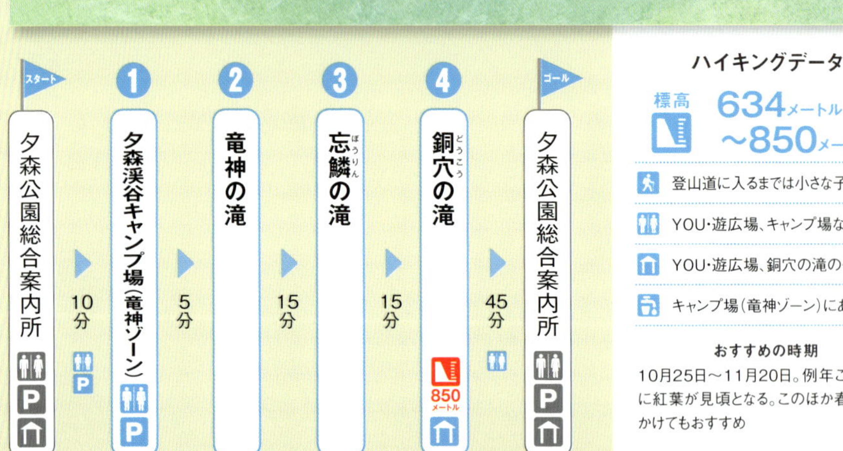

ハイキングデータ

標高 634メートル～850メートル

- 登山道に入るまでは小さな子でもOK
- YOU・遊広場、キャンプ場など
- YOU・遊広場、銅穴の滝のそば
- キャンプ場(竜神ゾーン)にあり

おすすめの時期

10月25日～11月20日。例年この時期に紅葉が見頃となる。このほか春～夏にかけてもおすすめ

右上／竜神の滝。この滝に住む白龍が天まで駆けのぼったという伝説がある。落差約12メートル　左上／新緑の時期も美しいが、秋もおすすめ。例年10月25日～11月20日は紅葉が見頃を迎え、イベントなどが行われる　左下／銅穴の滝。近くに東屋があるので、歩き疲れたら休憩しよう。落差約17メートル

夕森公園は、岐阜県中津川市川上にある自然公園。竜の伝説が残る滝やキャンプ場、マス釣り場があり、気軽に自然を楽しめる場所として地元の人たちに親しまれている。スタートは夕森公園総合案内所。まずはせせらぎ橋を渡って園内を進もう。❶夕森渓谷キャンプ場（竜神ゾーン）を過ぎたら、❷竜神の滝はすぐそこ。岐阜の名水50選の1つとあって見応え十分。足に自信がない人や時間がない場合はここだけでも満足できる。「せっかくだからもう少し歩きたい」という人は、竜が鱗を落としたという伝説が残る❸忘鱗の滝、青く美しい水をたたえた滝つぼが印象的な❹銅穴の滝をめぐろう。体力や時間に余裕があれば、さらに先にある「アゼ滝」「一つ滝」「昇竜の滝」を目指してもいい。ただしこちらは中・上級者コースなので注意。帰りは来た道をのんびり戻ろう。

おすすめスポット

道の駅「五木のやかた・かわうえ」

地元の特産品を扱うほか手機織り体験（予約）もできる。岐阜県中津川市川上1849-3／Tel.0573-74-2376（火曜定休）

スタート地点までのアクセス

岐阜県中津川市川上1057-4

アクセス

中央自動車道・中津川ICより国道19・県道3・411号線を北上、約40分。JR中央本線「坂下」駅よりバスで約25分

駐車場

車は夕森公園総合案内所に隣接する駐車場に停めよう。無料、200台

❓ 夕森公園総合案内所　☎0573-74-2144

山頂の展望台を目指し、変化に富む小道を歩く

かさはら潮見の森

かさはらしおみのもり

歩行時間
約2時間

難易度
★★

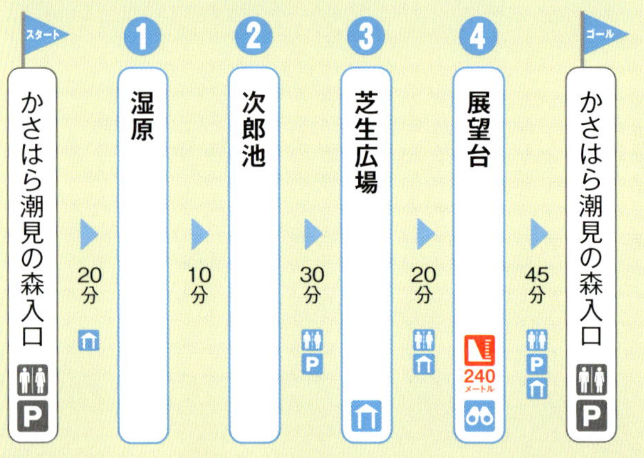

ハイキングデータ

標高 0メートル～240メートル

- よく整備されていて歩きやすい
- ルート上に3ヶ所あり
- うるおいの小径、あきの森にあり
- なし

おすすめの時期

桜が咲く4月、アジサイやアヤメが美しい5月、紅葉が見られる11月

右上／公園内からは御嶽山などの山々を眺めることができる　左上／公園内の最も標高が高いところにある展望台。天気がよければ360度の大パノラマを楽しめる　左下／30倍率の双眼鏡が設置されているので、さらに遠くの景色を見ることができるのも魅力的だ

山の上に広がる自然公園。遠くに名古屋港や伊勢湾が見えることから「潮見の森」と名付けられた。山林の中におよそ5kmの遊歩道があり、森林浴を楽しめる。散策コースはいくつもあるが、おすすめはかさはら潮見の森入口から歩くルートだ。入口からうるおいの小径へ入り進んで行くと、❶湿原、太郎池や❷次郎池などがあり、変化に富んだ景色が待ち受ける。5〜6月になると、太郎池の周囲にアジサイやスイレン、アヤメが花開き、景色を彩る。

その先には、春夏秋の季節の名前のついた森と野鳥の森があり、それぞれの森でバードウォッチングを楽しめる。❸芝生広場でひと息ついたら、いよいよ山頂を目指そう。ここにある❹展望台からの眺望は抜群。伊勢湾のほか、御嶽山や白山などを眺めることができる。

おすすめスポット

管理棟下多目的広場

利用当日先着順でバーベキューを楽しめる。設備はないので、食材やグリル等はすべて持ち込み。ゴミは各自で持ち帰りを。

スタート地点までのアクセス

岐阜県多治見市笠原町3434-1

アクセス

中央自動車道多治見ICより国道248号、県道13・15号線、一般道を南東へ約9km。東海環状自動車道土岐南多治見ICからもアクセス可

駐車場 P

かさはら潮見の森入口の駐車場(約290台)を利用。無料

? かさはら潮見の森　☎0572-43-5130

自然と歴史に出会える人気スポット

金華山

きんかざん

歩行時間
約1時間50分
（片道）

難易度
★★

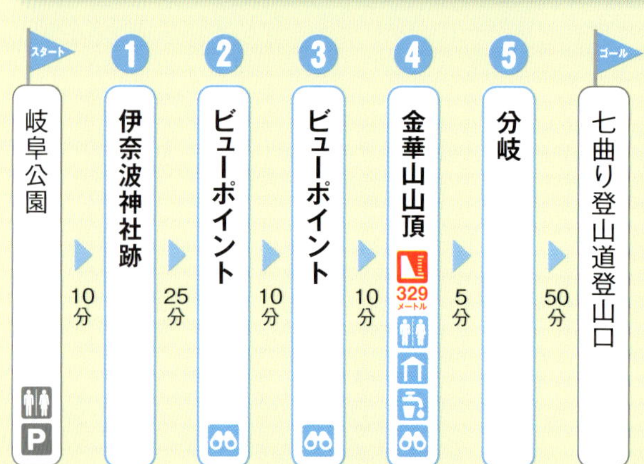

ハイキングデータ

標高 40メートル～329メートル

- 登りはそれほどきつくはないが、下りは急
- 山頂にあり
- 山頂にあり
- 山頂にあり

おすすめの時期

5月上旬、ツブラジイが黄色い花を咲かせる。この時期、山が黄金色に見えたことから金華山の名がついた

※②、③のビュースポットは編集部セレクトです

右上／長良川と長良川沿いに広がる市街地が見渡せる。登山道によっては恵那山、中央アルプス、乗鞍岳、北アルプスを望めるポイントも　左上／斎藤道三公や織田信長公が城主となった岐阜城。内部見学は有料　左下／「めい想の小径」の登山口近くにある三重塔は、大正天皇の即位を祝う御大典記念事業として建立されたもの

岐阜市内の中心部にありながら豊かな自然が残る金華山。傾斜が緩やかな「めい想の小径」から、かつては岐阜城への通勤道に使われていた「七曲り登山道」を進み、その魅力を満喫しよう。まずは金華山ロープウェーの山麓駅近くにある岐阜公園から「めい想の小径」へ。❶伊奈波神社跡やツブラジイ、❷❸ビューポイントをめぐりながら頂上を目指す。岐阜城から進むとすぐに❹金華山山頂に到着。展望台やレストランで長良川と市街の景色を眺めながらひと休み。体力に自信がない人や時間に余裕がない人は、ここから金華山ロープウェーに乗って帰るといい。歩ける人は、復路は七曲り登山道で。❺分岐で別のコースに行かないよう注意しながら下っていこう。ふもと付近では、戦国時代に使われたという道の跡を見ることができる。

おすすめスポット

川原町の町並み

岐阜公園から徒歩5分。長良橋の南詰から西へ続く湊町・玉井町・元浜町の町並みは通称「川原町」と呼ばれ、格子戸のある古い町並みが残る。

スタート地点までのアクセス

岐阜県岐阜市大宮町1丁目（岐阜公園）

アクセス
東海北陸自動車道岐阜各務原ICより国道21・156・248・県道152・国道256線を北西へ約25分。JR名鉄「岐阜」駅からバスも運行

駐車場
岐阜公園堤外駐車場第1・第2を利用すると便利。有料、179台（できる限り公共交通機関の利用がおすすめ）

❓ 岐阜市観光コンベンション課　☎058-265-3984

昔の旅人気分を味わえる中山道ハイキング

馬籠宿～妻籠宿

まごめじゅく～つまごじゅく

歩行時間
約2時間30分

難易度
★★

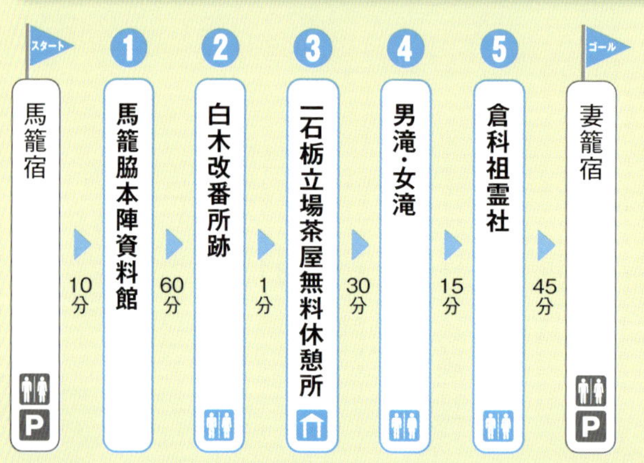

ハイキングデータ

馬籠～馬籠峠は急な上り坂

駐車場やコースの各所にあり

一石栃立場茶屋にある

なし

おすすめの時期

冬場は雪が降ると足元が滑りやすいので4～11月のハイキングがおすすめ

右上／男滝。向かって右側に女滝がある。滝壺に金の鶏が舞い込んだという倉科様伝説が残る　左上／石畳の道の両脇には、土産物店や飲食店が軒を連ねる。時間に余裕を持って訪れたい　左下／馬籠宿の南にある「枡形」(ますがた)。宿場の防衛上設けられたもので、城郭の枡形を模しているという

江戸時代の宿場町の面影を残す馬籠宿～妻籠宿間は人気のハイキングコース。どちらからスタートしてもかまわないが、馬籠宿から出発すると下り坂が中心となり比較的ラクなのでおすすめだ。馬籠宿をスタートし、まずは❶馬籠脇本陣資料館を見学(入館料:大人300円)。続いて、伐採禁止の木を取り締まっていたという❷白木改番所跡を見たら、かつての休憩所の遺構が残る❸一石栃立場茶屋　無料休憩所でひと休み。木立の中、石畳の道を進み❹男滝・女滝へ。ここは吉川英治作「宮本武蔵」の舞台となった滝。マイナスイオンを浴びて道中の疲れを癒そう。その後、❺倉科祖霊社(地元の土豪に襲われ亡くなった倉科氏を祀っている)を過ぎ、45分ほど歩いたらゴールだ。無事、完歩できたら観光案内所で「完歩証明書」(300円)を購入してみては。

おすすめスポット

十曲峠

落合宿から馬籠宿にさしかかる辺りには、石畳の道が昔のまま残っている。馬籠宿から徒歩約30分、車で約10分。

スタート地点までのアクセス

※同一の場所ではないためスタートとゴールの場所を示しています

岐阜県中津川市馬籠

アクセス

中央自動車道・中津川ICより国道19号線を北東へ約20分。またはJR中央本線「中津川駅」からバスで約25分

駐車場

馬籠宿、妻籠宿それぞれの周辺に無料P、有料Pがあるのでそちらを利用しよう

❓ 馬籠観光協会　☎0573-69-2336

全国有数の名瀑を巡る、渓谷ハイキング

五宝滝公園

ごほうたきこうえん

歩行時間
約1時間

難易度
★★

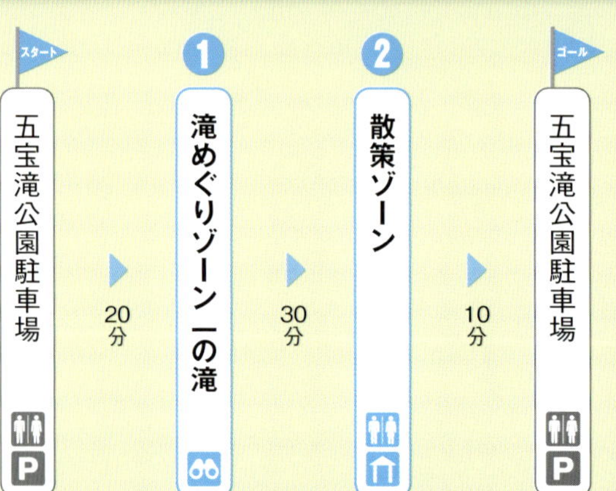

ハイキングデータ

標高 230メートル～290メートル

整備されていて歩きやすい。階段や石畳など変化に富む

五宝滝公園駐車場、散策ゾーンにあり

武蔵の広場にあり

なし

おすすめの時期

初夏、秋（紅葉の時期）などがおすすめ。夏は滝の水量は少し減るが、涼はとれる。

右上／通年歩けるコースだが、特に秋の紅葉の時期がおすすめ　左上／武蔵の広場には東屋があり休憩できる　左下／一の滝、二の滝、三の滝の3つの落差を合わせると80mにもなる

飛騨木曽川国定公園域にあり、滝めぐりゾーンと散策ゾーンに分かれている「五宝滝公園」。まずは滝めぐりへ出発しよう。五宝滝は、5つの滝からなる全国有数の名瀑である。三の滝、二の滝、一の滝の順に滝を見ながら歩く。森の中で白く水煙を上げる滝の姿は清らかで、眺めているだけで身も心も洗われるよう。中でも最上部に位置する①一の滝は44mもの落差があり、頂上からは素晴らしい景色を眺めることができる。3つの滝の先にあるのは、剣豪・宮本武蔵が修行した伝説が残る二天の滝と円明の滝。四季折々に違った表情を見せる渓谷の美しい景色の中、散策しながら5つの滝を巡ることができる。

滝めぐりを満喫したら、武蔵渓谷へと続く②散策ゾーンへ。武蔵の広場や休憩・遊戯場所があり、お弁当を広げるのにうってつけだ。

おすすめスポット

蘇水峡

エメラルドグリーンの水に桜や紅葉が映える蘇水峡。木曽川の丸山ダム下流にある。「木曽三川三十六景」に選ばれている。五宝滝公園から車で約15分。

スタート地点までのアクセス

岐阜県加茂郡八百津町八百津4767-3

アクセス
東海環状道可児御嵩ICから県道83号、やおつトンネルを経由して約25分

駐車場
公園に駐車場あり（30台）。道がわかりづらいため、駐車場の住所（八百津町八百津4767-3）をナビに入力を

? 八百津町役場タウンプロモーション室観光振興係　☎0574-43-2111

北・南・中央アルプスを一望できる!

富士見台高原

ふじみだいこうげん

歩行時間
約1時間10分

難易度
★★

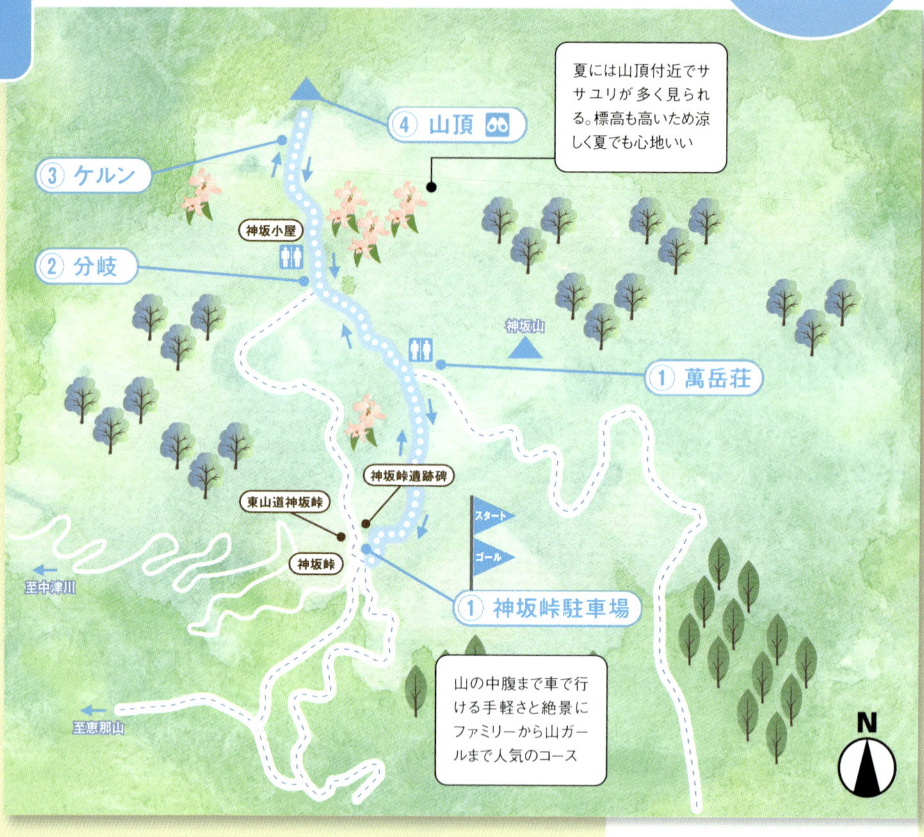

ハイキングデータ

標高 1,569メートル～1,739メートル

道幅が広く登山としては歩きやすい

萬岳荘、神坂小屋（協力金必要）

山小屋

なし

おすすめの時期

5月～11月・落雷には注意したいため、必ず事前に天気予報をチェックしておきたい

右上／山の中腹まで車で行けることから、山ガールや家族連れにも人気の富士見台高原。山頂からの景色は一見の価値あり! 左上／10月中旬から11月上旬頃は紅葉シーズン。赤く染まる山並みは息を飲む美しさ 左下／夏にはササユリの花が咲く。標高1739メートルの高原に咲くことから「天空のササユリ」の別名も

富士見台高原は標高1,739メートルの笹に覆われた美しい山。長野県側の山麓から登るコース、萬岳荘までロープウェイ、リフト、バスを乗り継ぐコースなど、いくつものルートがあるが、今回は神坂峠からのコースを紹介する。まずは神坂峠まで車で進み、神坂峠駐車場に駐車。ここから、最初の目的地である❶萬岳荘へ向かう。といっても、舗装された林道を10分ほど歩けば到着するので、健康な人ならまず問題ない。萬岳荘から、富士見台高原山頂までは上り約40分、下り約30分。❷分岐を山頂に向かう方向に進むと、左手に❸ケルンと呼ばれる小さな岩山がある。眺めが良いので、ここでいったんひと休みしてもいい。さらに5分ほど歩いたら❹山頂に到着。周囲一面に広がる笹原と、恵那山、北アルプス、南アルプス、中央アルプスが織りなす絶景が迎えてくれる。

おすすめスポット

萬岳荘

山頂から徒歩30～40分ほどのところにある山小屋。事前に予約すれば宿泊もOK。宿泊を兼ねて訪れるのもよい。

スタート地点までのアクセス

岐阜県中津川市神坂

アクセス
中央自動車道・中津川ICから国道19号線・県道7号線を東に約1時間

駐車場
神坂峠に10台程度停められる駐車スペースがあるので、そちらを利用しよう

中津川市観光案内所 ☎0573-62-2277

巨岩怪石と渓谷がつくりだす絶景

鬼岩公園

おにいわこうえん

歩行時間
約1時間35分

難易度
★★

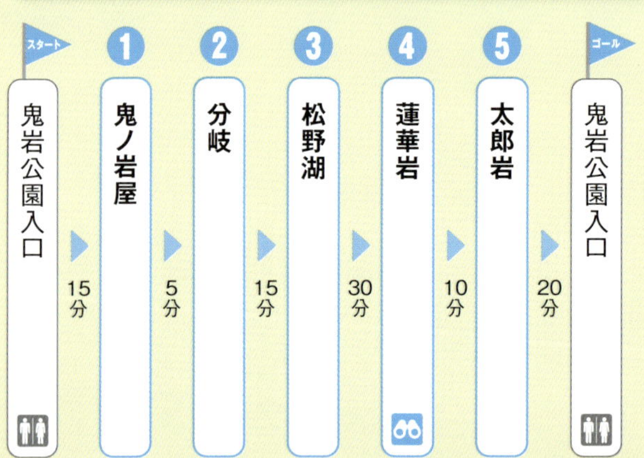

ハイキングデータ

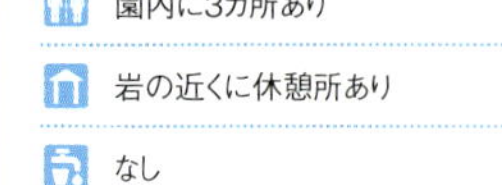

- 健康な人なら行けるレベル
- 園内に3カ所あり
- 岩の近くに休憩所あり
- なし

おすすめの時期

4月。約5万本のつつじが咲き乱れ、さくら、まんさく、こぶしとの競演を楽しめる

写真協力:瑞浪市観光協会

右上／鬼の岩場に鬼人「関の太郎」が住んでいたという伝説が残る。「蓮華岩」は人気アニメの主人公が一刀両断にした岩に似ていることから「鬼の一刀岩」との愛称が付けられ、近年、各名称の御朱印も用意された　左下／鬼ノ岩屋の奥には、関の太郎の像がある

鬼岩公園の一番の見どころは、数え切れないほどの巨岩怪石。これらは、花崗岩が数千年もの間風雪に洗われてできたものだという。公園には3つのハイキングコースがあり、行きは公園入口から、❶鬼ノ岩屋を通って❷分岐を過ぎ、❸松野湖へと抜ける「渓谷コース」を進む。鬼ノ岩屋には、かつて関の太郎という鬼人が住んでいたとか。岩屋に入ると魔除けのご利益があるいわれているので、ぜひ、中に入ってみよう。帰りは❷分岐を右手に進む「蓮華岩、太郎岩めぐりコース」へ。❹蓮華岩からは、巨岩怪石が連なる神秘の景色を一望できる。❺太郎岩、烏帽子岩も必見だ。なお、体力に自信がない人、時間に余裕がない人は、松野湖に行かずに②分岐で折り返して元来た道を戻るか、「蓮華岩、太郎岩めぐりコース」へと進むといいだろう。

おすすめスポット

旧森川訓行家住宅

中山道大湫宿にある元旅籠屋。現在は観光案内所として利用されている。見学可能。瑞浪市大湫町445-2／Tel.0572-63-2455

スタート地点までのアクセス

岐阜県可児郡瑞浪市日吉町

アクセス
中央自動車道・土岐ICより国道21号線を北上、約10分

駐車場
鬼岩公園駐車場を利用しよう。約100台、無料

❓ 鬼岩観光協会　☎0574-67-0285

岐阜市の最高峰417.9mに登頂しよう!

百々ヶ峰

どどがみね

歩行時間
約2時間30分

難易度
★★

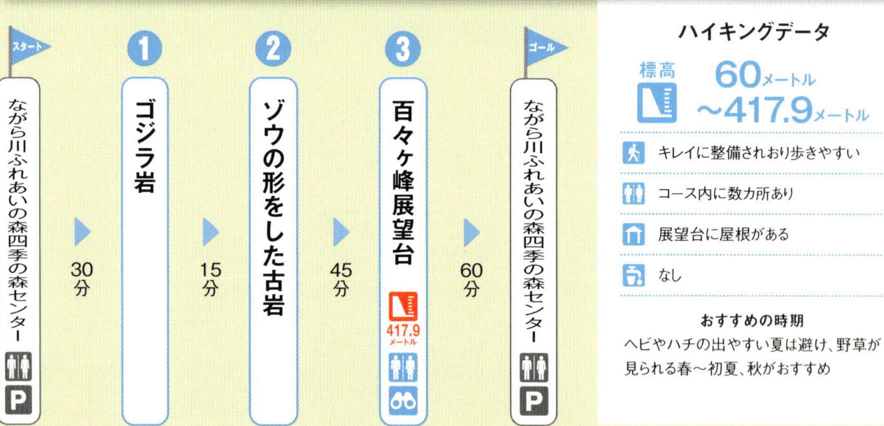

ハイキングデータ

標高 60メートル～417.9メートル

- キレイに整備されおり歩きやすい
- コース内に数カ所あり
- 展望台に屋根がある
- なし

おすすめの時期

ヘビやハチの出やすい夏は避け、野草が見られる春～初夏、秋がおすすめ

右上／展望台からの眺め。対岸に見えるのは、金華山　左上／「ながら川ふれあいの森」から、ハイキングをスタート。コースの起点となる三田洞側の駐車場には、179台駐車できる。飲料水を汲める水場はないので、事前に用意を　左下／山頂には展望台がある。名古屋駅周辺の高層ビル群も望める

岐阜市で最も標高が高い、百々ヶ峰山頂。いくつか登山口があるが、ながら川ふれあいの森からのルートが最もおすすめ。三田洞側の駐車場の目の前に林道のゲートがあり、ここから登り始めることができる。舗装された道をしばらく行くと、ナンテンやニシキギなどが植栽される薬木の広場がある。途中にある❶ゴジラ岩や❷ゾウの形をした古岩を見つけながら遊歩道を歩いて、三田洞展望広場へ到着。眺望が開けていて、舟伏山や三田洞地区の街並みがよく見える。山頂にある❸百々ヶ峰展望台を目指す道は、整備された遊歩道。歩きやすく、分岐には案内板があるので安心できる。山頂には三角点があり、対岸に金華山が見える。帰りは権現山を経由して下山。途中にはトイレや展望台があり、静かな里山歩きを気持ちよく楽しめる。

おすすめスポット

ながら川ふれあいの森

自然観察や森林浴、キャンプなど、ハイキング以外にも楽しみがいっぱい。四季を通じて訪れたい。

スタート地点までのアクセス

岐阜県岐阜市三田洞211
（ながら川ふれあいの森）

アクセス
東海北陸自動車道関ICから約25分。岐阜駅から岐阜バス茜部見三田洞線三田洞バス停下車、徒歩約15分

駐車場
ながら川ふれあいの森の三田洞側に179台、長良古津側に38台

❓ ながら川ふれあいの森四季の森センター　☎058-237-6677

城址でもある山頂から美濃の町並みを眺める

古城山

こじょうざん

歩行時間
約2時間

難易度
★★

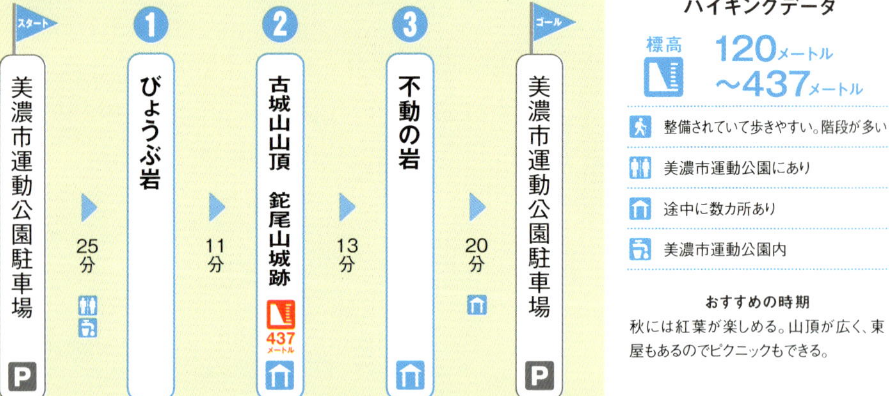

ハイキングデータ

標高 120メートル～437メートル

- 整備されていて歩きやすい。階段が多い
- 美濃市運動公園にあり
- 途中に数カ所あり
- 美濃市運動公園内

おすすめの時期

秋には紅葉が楽しめる。山頂が広く、東屋もあるのでピクニックもできる。

②古城山山頂　鉈尾山城跡からの景色

右上／標高437.1mの古城山。山頂には「鉈尾山城」の城址だったことを示す石碑がある。鉈1本で鉄壁の縄を断ち切り、壁を断岸に落として防御できるほどいい地形であったことが城の名の由来だそう　左上／ここまで来たら立ち寄りたいのが、うだつの上がる町並み　左下／分岐が多いので、地図や案内板を確認しながら歩こう

美濃市運動公園駐車場を起点に、気軽にトレッキングを楽しめる。美濃市内で一番早く日の出を鑑賞できる場所として人気があり、元日には多くの人が訪れる。道がよく整備されており、近年ではトレイルランニング大会の舞台にも。要所要所に案内板が設置してあるので、しっかり確認しながら歩こう。駐車場の脇にある登山道から、山頂を目指す。❶びょうぶ岩のあたりは、展望が開けていて、天王山や小倉山などを見ることができる。整備され階段のある道を登ると、あっという間に山頂へ。ここはかつて❷鉈尾山城という山城があった場所。山の名前の由来となっている。誕生山や天王山、長良川が流れる美濃の町並みを眺められる。帰りは❸不動の岩を経由して駐車場へ。1周3kmほどの行程は逆回りして歩いても楽しい。

おすすめスポット

うだつの上がる町並み

美濃市運動公園から車で10分。江戸時代以降、商家町として発展した美濃市。屋根の両端を一段高くした防火壁「うだつ」が多く残る町並み。国の重要伝統的建造物群保存地区に選定された。

スタート地点までのアクセス

岐阜県美濃市曽代166-1（美濃市運動公園駐車場）

アクセス
東海北陸自動車道美濃ICから国道156号線を経由して約15分。長良川鉄道越美南線梅山駅から徒歩約25分

駐車場
美濃市運動公園内にある（275台。無料）

❓ 美濃市役所美濃和紙推進課　☎0575-33-1122

株杉の森で、神秘の景色に出合う

21世紀の森公園

21せいきのもりこうえん

歩行時間 約3時間30分

難易度 ★★★

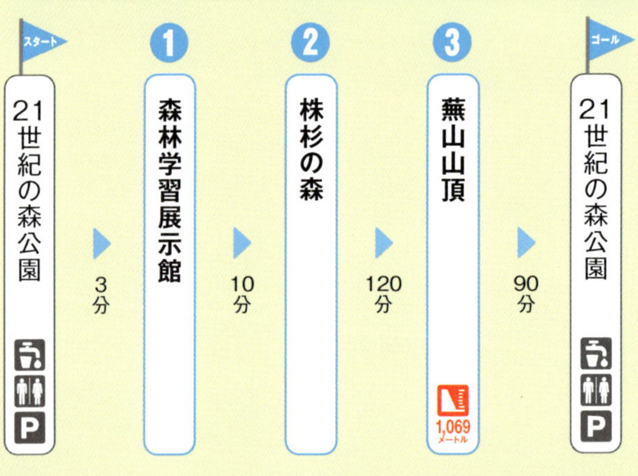

ハイキングデータ

標高 360メートル～1,069メートル

勾配あり。散策を楽しむなら株杉の森と園内の散策路がおすすめ

整備されているがトイレはスタート近くのみ

途中に東屋はなし

21世紀の森公園にあり

おすすめの時期

6月下旬～7月上旬頃は1万株のアジサイが見頃。春から秋にかけて通年楽しめる

右上／「21世紀の森公園」の園内には、およそ1万株のアジサイが植えられている。6月下旬～7月上旬が見頃　左上／巨大な株杉の迫力に圧倒される。このような株杉が群生しているのは、非常に珍しい　左下／公園から車で15分くらいの場所にある「名もなき池」は"モネの池"と呼ばれる話題の絶景スポット。モネの絵画のような池と「株杉の森」をセットで訪れる人も多い

関市板取の奥牧谷と呼ばれるエリアにある21世紀の森公園。標高1,069mの蕪山（かぶらやま）山麓に広がり❷株杉の森や蕪山登山の玄関口として知られる。株杉とは、スギの1本の幹が地上2～6mの位置で何本もに枝分かれしたもの。樹齢4～500年の巨大な株杉が群生する株杉の森へは、駐車場から10分ほどで到着。ダイナミックな造形の株杉が次々と現れる摩訶不思議な光景を眺めることができる。

蕪山までの道は、登山レベル。尾根道に出るまでの間に勾配がある箇所があるので準備をしっかりと。広葉樹林の中にある尾根道は歩いていて楽しく、飛来する野鳥の生態を観察する楽しみもある。蕪山を登らないなら、株杉の森への往復と公園内をぐるりと回る散策路を組み合わせて歩くのがおすすめだ。

おすすめスポット

板取川温泉

公園から北へ約4kmのところにある。澄み切った山の空気に包まれ、板取川のせせらぎに耳を傾けながら美肌の湯を楽しめる。

スタート地点までのアクセス

岐阜県関市板取2340

アクセス
東海北陸自動車道美濃ICから国道156号、県道81号、国道256号線を経由して車で約55分

駐車場
約70台。無料

❓ 関市板取事務所　☎0581-57-2111

浜松湖畔で森林浴!富士山も望める

大草山

おおくさやま

歩行時間
約1時間10分

難易度

ハイキングデータ

標高 3メートル～113メートル

- 観光を楽しみながら歩けるレベル
- なし
- なし
- なし

おすすめの時期

2～3月は昇竜しだれ梅園のしだれ梅、3～4月は桜が見頃。秋、対岸の舘山に上る月を愛でるのもおすすめ

右上／大草山からの眺め。遊覧船が湖面を行き交う様子を見ていると、時が経つのを忘れてしまいそう。浜名湖エリアを訪れたら、ぜひとも立ち寄りたい　左上／弁天社。縁結びのご利益があるそう　左下／初春は梅、春は桜、夏は森林浴、秋は紅葉、冬は富士山と、年間を通して美しい自然を満喫できる

浜名湖県立自然公園に指定されている大草山は、浜名湖を一望できるビュースポット。山頂まではかんざんじロープウェイで上がり、**大草山展望台**（浜名湖オルゴールミュージアム屋上）を起点に散策するのがおすすめだ。まずは、大草山展望台と❶**展望広場**から景色を存分に楽しもう。浜名湖、遠州灘、天気が良ければ遠く富士山も望める。次の目的地は❷**弁天社**。大正時代からあるというこちらのお社は、漁師の間で「大漁祈願」「安全祈願」の神様として知られる一方で、最近は、縁結びの神様として若い人たちに人気だとか。願いごとがある人はお参りしてみては。続いて、弁天社の先で右に鋭角に曲がる道に入り、❸**船着場**を目指す。湖岸は絶好の休憩ポイント。疲れを癒やそう。帰り道は、ロープウェイ駅に続く遊歩道を上る。

おすすめスポット

浮見堂

大草山の対岸、全長45メートルの桟橋の先端にある浮見堂は、大草山を撮影するのに最適な場所。見学自由。

スタート地点までのアクセス

静岡県浜松市西区呉松町

アクセス

東名・舘山寺スマートICより5分。かんざんじロープウェイにて大草山展望台へ

駐車場

大草山山頂には駐車場はないので、ロープウェイ専用駐車場を利用しよう。1台1000円

舘山寺温泉観光協会　☎053-487-0152

旧東海道の難所を旅人気分でぶらり歩く

小夜の中山峠

さよのなかやまとうげ

歩行時間
約1時間（片道）

難易度

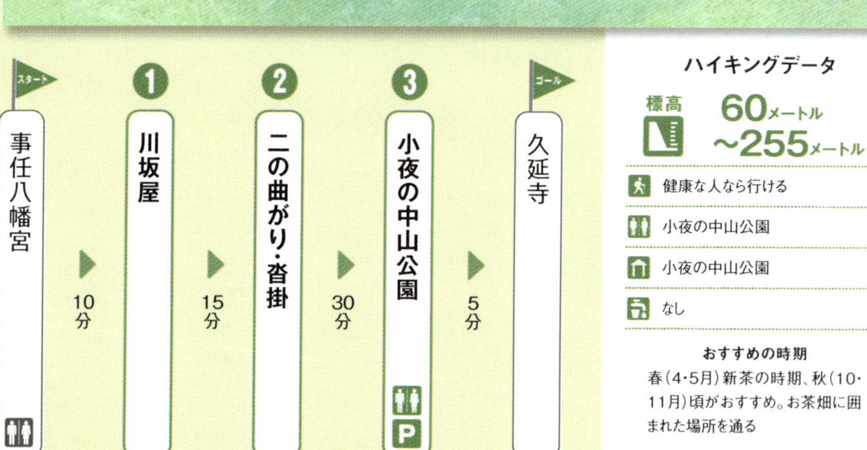

ハイキングデータ

標高 60メートル～255メートル

- 健康な人なら行ける
- 小夜の中山公園
- 小夜の中山公園
- なし

おすすめの時期

春（4・5月）新茶の時期、秋（10・11月）頃がおすすめ。お茶畑に囲まれた場所を通る

右上／最大の難所は二の曲がりと沓掛の曲がりくねった急傾斜。車でも上がれない程というので心してかかって。急坂以外の道中は一本道で快適なコースで大茶園が広がる静岡らしい風景が続く　左上／左下／夜泣き石跡や涼み松、広重の絵碑や西行歌碑、一里塚の他、山内一豊が徳川家康をもてなしたという場所でも有名な久延寺など旧所をめぐるのも楽しい

日坂宿と金谷宿の間にある峠で東海道の三難所と言われた小夜の中山。歌川広重の浮世絵が描いた夜泣石の伝説でも有名だ。枕草子にも名が残る**事任八幡宮**から日坂宿方面へと道を進み、旧街道へと入る。往時の面影が残る宿場町を❶**川坂屋**や本陣跡を見つつ歩き、宿場町が終わるといよいよ小夜の中山峠に突入。坂が始まり道幅も狭くなっていく。急カーブの坂に差し掛かると❷**二の曲がり**。当時の難所を肌で感じながら曲がりくねった坂を登ると❷**沓掛**に出る。道はアスファルトながら一番キツイ場所だ。登りきると茶畑を貫く一本道が続き、茶文字で有名な粟ヶ岳を望むことも。一面に広がる緑の絨毯を愛でながら至る所に残る句碑や歌碑も楽しみたい。一里塚を過ぎて❸**小夜の中山公園**、すぐそばの**久延寺**でゴール。かつての難所も今は整備され江戸時代の旅人気分で歩くことができる。

おすすめスポット

扇屋

江戸時代から続く峠の茶屋で夜泣き石伝説にちなんだ「子育て飴」が名物。麦からできた琥珀色の水あめは懐かしい味わい。土日祝日のみの営業。

スタート地点までのアクセス

静岡県掛川市八坂642
（事任八幡宮）

アクセス

JR掛川駅よりバス「東山線」にて「（事任）八幡宮前」バス停下車、または「日坂」下車徒歩5分（沓掛まで）
東名高速道路掛川ICより車で約30分

駐車場

10台程度（小夜の山中公園）

❓ 掛川観光協会ビジターセンター「旅のスイッチ」　☎0537-24-8711

ウォーキングや野鳥観察、森林浴まで幅広く楽しめる

静岡県立森林公園

しずおかけんりつしんりんこうえん

歩行時間
30分（片道）

難易度

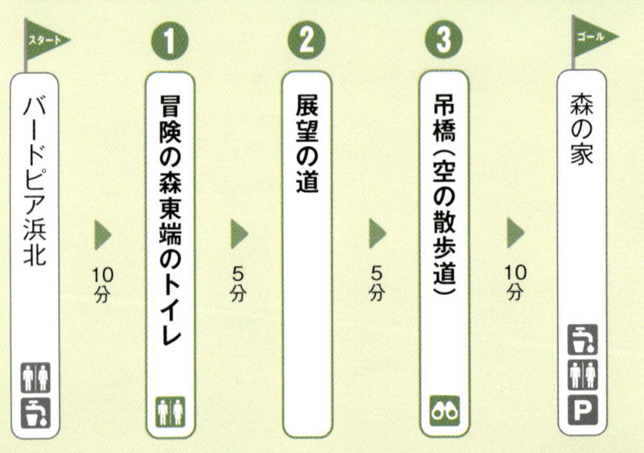

ハイキングデータ

- アップダウンが多いものの小学生でも踏破できる
- バードピア浜北、森の家、冒険の森東端
- 紹介コースにはなし
- バードピア浜北、森の家

おすすめの時期

一年を通じて様々な動植物を楽しむことができる。ビジターセンターには自然解説員がいるため事前に立ち寄り情報をもらおう

右上／「冒険の森の入り口」にはベンチとテーブルがあり、お弁当を広げる人も　左上／自生するアカマツの樹海を見下ろしながら空を散歩している気分が味わえる「吊橋」　左下／起点となるのはビジターセンター「バードピア浜北」。利用案内、鳥類を中心とした自然発信など展示やイベントなどを通じて自然と触れ合える施設となっている

天然のアカマツを主に、1000種類以上の植物や80種類もの野鳥が見られる森林公園。数あるコースの中でも「わんぱくコース」は、起伏にとんだコースながら気軽に歩けるのが魅力。広大な公園中央に位置するバードピア浜北からスタートし中央広場を抜けると5分ほどで冒険の森へ。ここには小学生くらいの子どもにちょうどいい木製の遊具があり子連れに人気のポイント。小鳥のさえずりを聞きながら進むと❷展望の道。春にはミツバツツジが咲き誇りハイカーの目を楽しませてくれる。急な坂を上ると目の前に大きな❸吊橋「空の散歩道」が見えてくる。長さ150メートル、高さも48メートルありなかなかの迫力。旧浜北市の街並みや天竜川の眺望を楽しみながら空中散歩を楽しもう。急な山道を下って登ってゴールの森の家に到着。心地よい汗をかいた後は森の家のレストランで一休みするのもおすすめ。

おすすめスポット

木工体験館（森林公園内）

地元の木を使った木工作が材料費の実費、保険料負担で体験できる。本立てや小箱など好きなものを作ってみて。工具も全て揃っており、木工指導員がていねいに指導してくれる。

スタート地点までのアクセス

静岡県浜松市浜北区尾野2597-7

アクセス
遠州鉄道 西鹿島駅よりタクシーで10分、東名高速道路浜松西ICより車で40分、新東名高速道路浜松浜北ICより車で15分

駐車場
第3駐車場に138台、森の家50台

❓ 静岡県立森林公園ビジターセンター「バードピア浜北」　☎053-583-0443

四方に広がる広大なパノラマが魅力

森町 町民の森

もりまち ちょうみんのもり

歩行時間
1時間

難易度
★

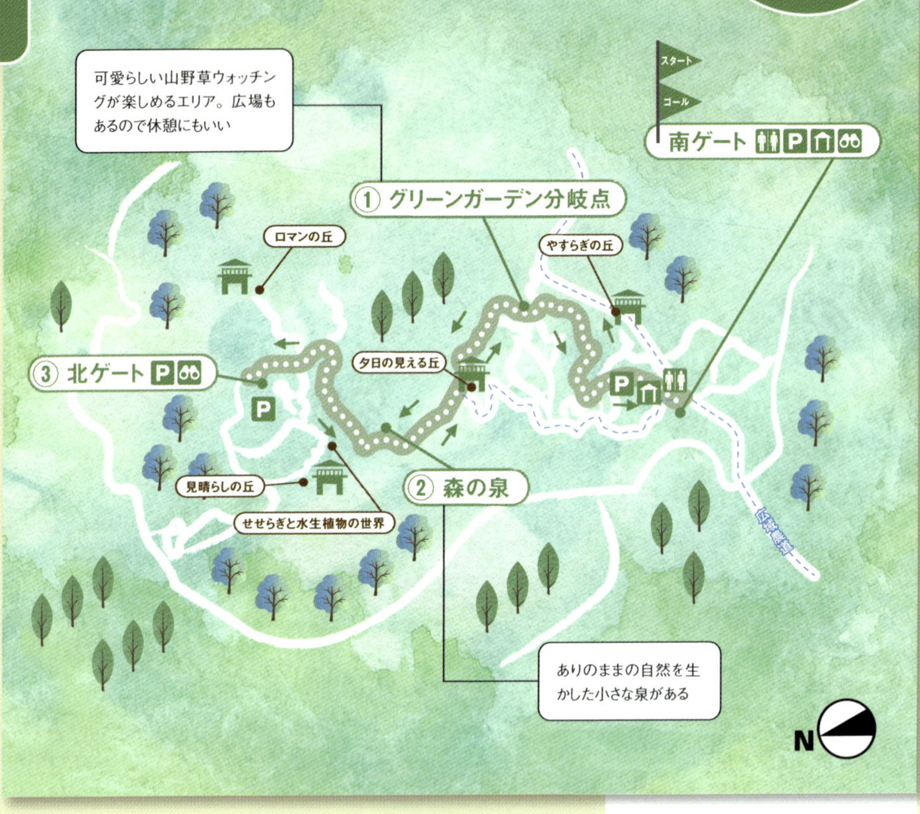

ハイキングデータ

標高 70メートル～200メートル

幼児や不慣れな人でも歩ける

南ゲート入口にあり

南ゲート入口にあり

なし

おすすめの時期

春、秋がおすすめ。4月～5月にはハルリンドウやシロアザミ、9月～10月にはキキョウ、リンドウなど山野草が見られる

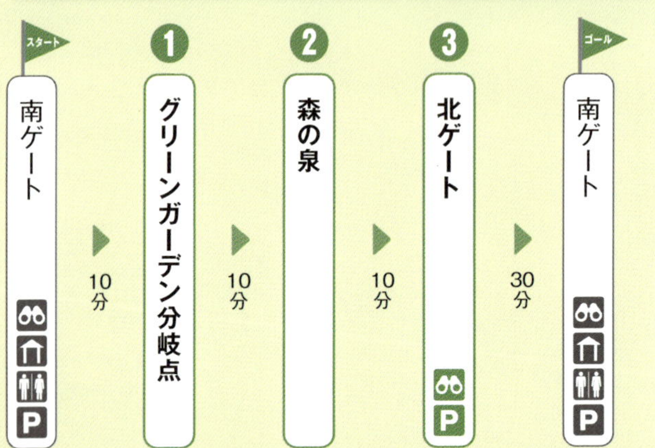

右上／中遠広域農道に面した南ゲートから入ると東屋とトイレ、駐車場がある。東屋からの眺望は抜群　左上／南北のゲートをつなぐ管理道路は整備された砂利道で歩きやすいが、緩やかな坂道は砂利に足を取られることもあるので注意を　左下／マツや杉、シダなどが見られる他、春にはハルリンドウ、スミレ、夏にはユウスゲ、秋にはキキョウなどの山野草、野鳥も生息している

四方に広がる緑のパノラマと四季折々の山野草に出合える自然の宝庫として親しまれている「町民の森」。紹介するのは南北のゲートを結ぶ一本道を散策する往復3.2kmのコース。年配の方や子供連れでも気軽に楽しめると人気がある。出発は南ゲート駐車場の脇にある南ゲートから整備された管理道路を行く。ゲートを抜けるとすぐに「やすらぎの丘」や「木漏れ日の道」へと続く分岐の遊歩道が見えてくる。道中このような分岐がいくつもあり、高低差のある遊歩道の先に展望スポットが多いので時間があれば足を延ばしてみよう。途中つづら坂を通り、西方面に開けた山々の眺望を見ながら❷森の泉に出る。そこから程なく❸北ゲートに到着。北ゲートの駐車場脇にはテーブルとベンチがあるので、ここでお弁当を広げ景色を楽しむのがおすすめ。ひと休みしたら南ゲートへ折り返そう。

おすすめスポット

小國神社

遠州の小京都と呼ばれる森町を代表する由緒ある神社。桜や紅葉スポットとしても有名で縁結びのご利益も。ことまち横丁での食べ歩きも楽しい。

スタート地点までのアクセス

静岡県周智郡森町橘575-1（現地代表地番）

アクセス
新東名高速道路遠州森町スマートICより車で約3分
新東名高速道路森掛川ICより車で約12分
天竜浜名湖鉄道遠州森駅より徒歩20分

駐車場
南ゲート約10台、北ゲート約15台

❓ 森町役場 産業課　☎0538-85-6317

静岡・浜松市

水と緑のオアシス、湖岸を歩いて自然を満喫

佐鳴湖公園

さなるここうえん

歩行時間
約1時間30分

難易度

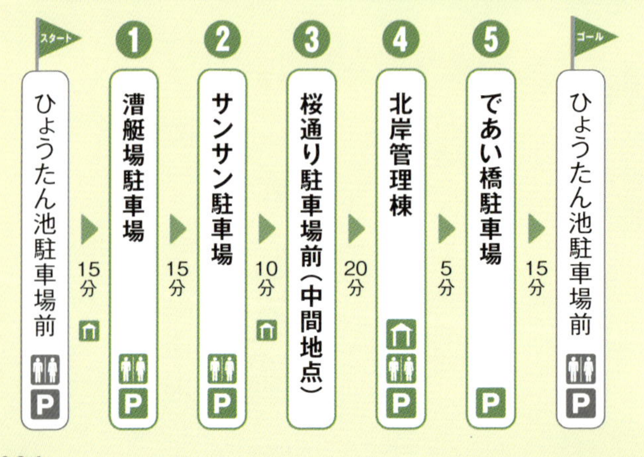

ハイキングデータ

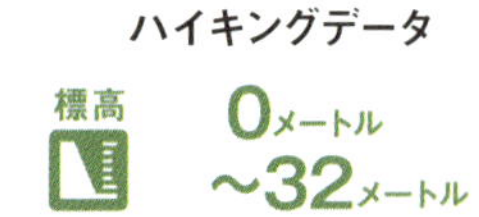

湖岸沿いはアップダウンなし

園内8カ所

北岸2カ所、西岸4カ所、東岸2カ所、花見台3カ所

北岸2カ所、西岸3カ所、東岸2カ所、花見台1カ所

おすすめの時期

通年。ハイキングには気候の良い秋がおすすめ。春は桜、夏は花火大会、秋は紅葉、冬はバードウォッチングが楽しめる

水と緑に彩られた佐鳴湖。西岸から北岸方面を見ると空気の澄んだ日には富士山がくっきり。東岸の木道からの眺めやボートの練習風景など、場所ごとに湖の風景が変わるのでお気に入りのシーンを見つけよう。紅葉の季節にはひょうたん池をはじめ、各所で赤や黄色に葉が色づく。起点となるひょうたん池駐車場前には時計台や四阿も

街中から程近く水と緑が溢れる市民憩いの場所。1周約6キロの湖岸沿いに園路が整備されていてどこからでもスタートできるのが魅力だ。出発はカルガモが泳ぐ**ひょうたん池駐車場前**。ここを起点に反時計回りに歩くと距離表示板が出てくるので目安にしよう。まず西岸を南に向かい**❶漕艇場駐車場**を通過。南岸を経由し、石割広場や野鳥観察舎を通り東岸へと入る。**❸桜通り駐車場前**が見えたら中間地点、やがて木道へ。東岸は木立が少なく湖面を近くに感じられる場所。木道付近から西岸を望むと全景が見渡せ、特に夕日が湖面に映える風景は最高だ。北岸ではビオトープに寄り道。一年を通してカワセミが見られるので探してみよう。**❺であい橋**を過ぎると再び西岸、心地よい風を受けつつゴールの**ひょうたん池駐車場前**に到着。東屋で景色を見ながらクールダウンするのがおすすめ。

おすすめスポット

佐鳴湖公園ミニSL

3〜11月の第1日曜(変更の場合あり)に富塚花見台駐車場付近でミニ鉄道が運行。ミニSLや電車乗れると子供たちに大人気!

スタート地点までのアクセス

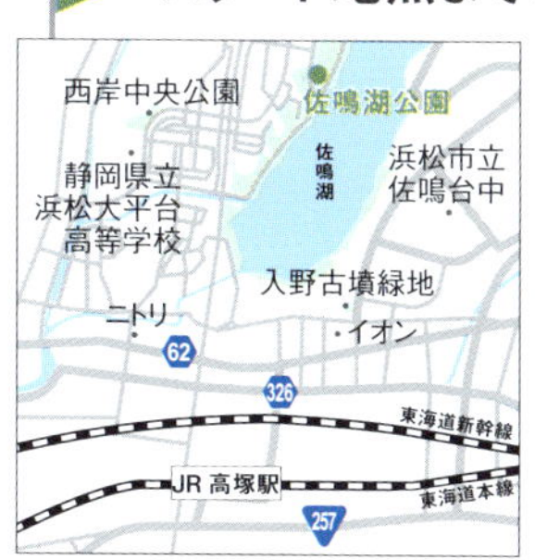

静岡県浜松市中区富塚町5147-4

アクセス

東名高速道路・浜松西ICより県道65号・国道48号線を富塚町方面へ車で7キロ
JR浜松駅より②番のりば医療センターまわり冨塚じゅんかん冨塚車庫下車徒歩5分(北岸管理棟)、JR浜松駅より②番のりば広沢・医療センター・大平台行き漕艇場下車徒歩5分(漕艇場)

駐車場

園内に9カ所、合計327台 主な駐車場…北岸管理棟付近50台、漕艇場駐車場40台、富塚花見台駐車場105台

❓ 佐鳴湖公園北岸管理棟　☎053-476-0210(9:00〜17:00)

静岡浅間神社で七社参りするご利益ハイキング

賤機山

しずはたやま

歩行時間
2時間10分

難易度
★★

山頂からは静岡市街地、谷津山、富士山なども望むことができる。浅間山リフト山頂駅跡は広場になっており、静岡市戦禍犠牲者慰霊塔とB29墜落搭乗者慰霊碑がたてられている

① 賤機山古墳

② 静岡浅間神社境内七社参り

③ 浅間山山頂

④ 賤機山山頂

安倍街道

静清バイパス

臨済寺

茶畑

麻機街道

桂林寺

スタート

静岡浅間神社

ゴール

池ヶ谷バス停付近

静岡市民が初詣や七五三のお参りに訪れる静岡浅間神社前からスタート。静岡浅間神社は静岡市中心部からほど近くの場所に位置するため、ハイキングだけでなく、周辺の商店街などで買い物なども楽しめる

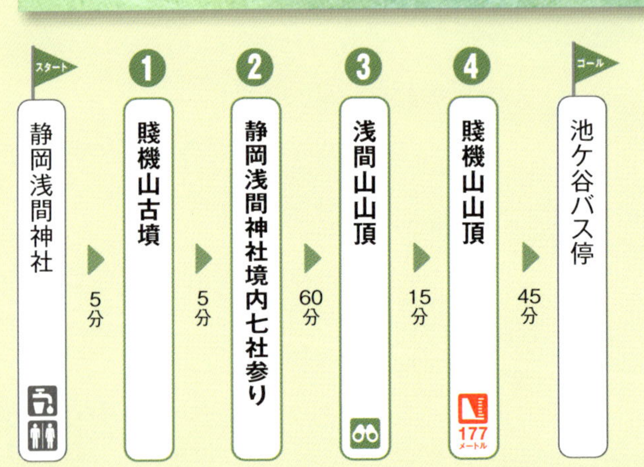

ハイキングデータ

標高 30メートル～177メートル

場所によっては狭く歩きにくい道あり

静岡浅間神社にあり

浅間山山頂にあり

静岡浅間神社にあり

おすすめの時期

春は桜が見頃。参拝するにもよく、蝶も多く見られる。秋もイチョウがキレイだが枯れ葉で足元が滑りやすいので注意

右上／静岡浅間神社は朱塗りの漆塗り彩色を施した社殿26棟が国の重要文化財に指定されている　左上／歴史好きにはたまらない賤機山古墳。静岡浅間神社まで来たら立ち寄りたい　左下／周囲にミカンなどの木やクスノキが多いため、カラスアゲハ、ナミアゲハ、アオスジアゲハなど多くのアゲハチョウが見られる

まずは静岡浅間神社の脇道から上れる❶賤機山古墳へ足を伸ばし、❷静岡浅間神社境内七社参りを行おう。静岡浅間神社境内にある七社（神部神社・浅間神社・大歳御祖神社・麓山神社・少彦名神社・八千戈神社・玉鉾神社）すべてお参りすると万願叶うと言われている。七社の御朱印を集めることもできる。まわる順は自由だが、麓山神社は急な百段の階段を上った先にあるため最後にし、そのままハイキングコースへ突入。坂を上って、上りきったところにベンチが置かれているのでひと休憩も可能。❸浅間山山頂からは静岡市の街並と富士山なども見ることができる。❹賤機山山頂からは険しい道になる。ここで折り返してもいいが、今回はバスで帰るルート。しばらく道なりに歩いていくと茶畑が見えて来る。農道から降りる道があるため、下って行くと一般道に出てすぐバス停がある。

おすすめスポット

駿府城公園

徳川家康が隠居した駿府城跡は公園になっており、市民の憩いの場に。お堀の一部は残っており、その周囲をジョギングする人も。静岡浅間神社から徒歩10分程度。

スタート地点までのアクセス

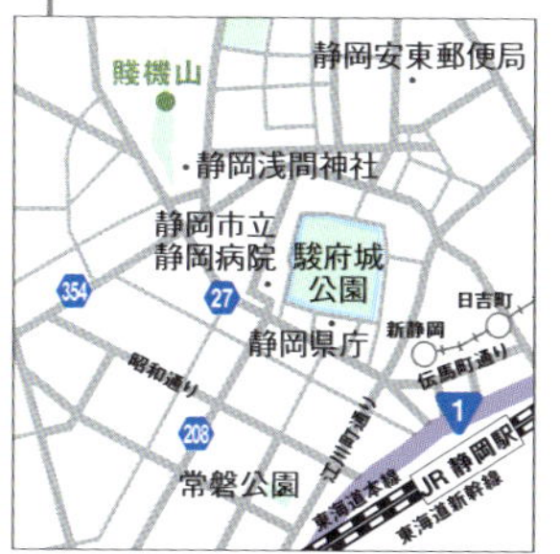

静岡県静岡市葵区宮ヶ崎町102-1

アクセス
JR東海道新幹線「静岡駅」北口から、しずてつジャストライン安倍線・美和大谷線で約8分、「赤鳥居 浅間神社入口」下車すぐ

駐車場
静岡浅間神社近隣のコインパーキング利用

❓ 静岡浅間神社　☎054-245-1820

山頂は三岳城址、歴史ある山道を気軽に歩く

三岳山

みたけやま

歩行時間
30分（片道）
難易度
★

スタート 三岳神社手前の駐車場 P ▶ 1分 ▶ ① 三岳神社（三の城址） ▶ 20分 ▶ ② 標石のある分岐点 ▶ 10分 ▶ ゴール 三岳山山頂（三岳城址） 466メートル

ハイキングデータ

標高 330メートル～466.3メートル

- あまり整備されてなく、急な登り坂あり
- なし
- なし
- なし

おすすめの時期

真冬以外の時期ならいつでも気軽に楽しめる。一緒に合わせて寄りたい龍潭寺の庭園は、さつき5月下旬、紅葉11月下旬が見頃

三岳山山頂（三岳城址）

① 三岳神社（三の城址）

右上／山頂の三岳城址は南北朝時代の城跡として国指定史跡になっている。浜松市や浜名湖を一望できる絶好のビュースポットで、都田川が浜名湖にそそぐ様子も見渡せる　左上／木々が立ち込める緑の中、井伊家ゆかりの山で歴史を感じてみて　左下／ピンク色の三岳神社は三の丸跡。ここから山頂までは一本道で迷うことはまずないのだが、ところどころに誘導する看板があって親切

山頂に井伊家の三岳城址が残る歴史深い山。山頂まで30分と短いコースながら、あまり整備されていない急な坂が続く山道を行くので心して。スタート地点の**三岳神社手前の駐車場**まで車で行くことができ、ここに車を停めて出発。すぐ目の前に三の丸跡❶**三岳神社**があるのでぜひ参拝を。神社を左手に入るとここからは自然道。しばらく歩くと急斜面の上り坂が続き慣れていないと少し辛いかもしれないが、山頂の三岳城址と二の城址との❷**標石のある分岐点**まで頑張って登ろう。分岐点付近は緩やかな場所があるのでここでひと休み。急こう配が終わるといよいよ**三岳山山頂**が現れる。道中は高い木々に囲まれて眺望が望めない分、突如として広がる壮大な景色は見事なもの。晴れた日には浜名湖や遠州灘、浜松駅前のアクトタワー、富士山などが望め、絶景を堪能できる。

おすすめスポット

龍潭寺

井伊家の菩提寺で井伊直虎が出家した寺はNHK大河ドラマ「おんな城主直虎」の舞台としても有名。国指定名勝の小堀遠州作の庭園も素晴らしい。

スタート地点までのアクセス

静岡県浜松市北区引佐町三岳

アクセス
遠鉄バス「井伊谷」から徒歩1時間40分
新東名高速道路浜松いなさICより三岳神社まで車で30分

駐車場
三岳神社手前に10台程度

❓ 奥浜名湖観光協会（天竜浜名湖鉄道 気賀駅構内）　☎053-522-4720

静岡・森町

歴史が息づく里山の古道を散策

戦国夢街道ハイキングコース

せんごくゆめかいどうはいきんぐこーす

歩行時間
約3時間

難易度
★★

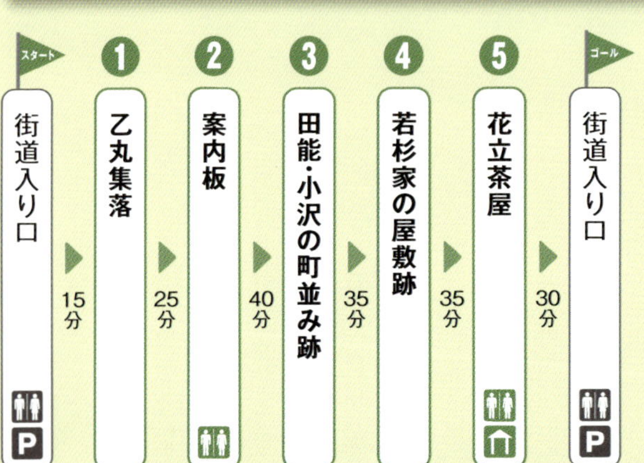

ハイキングデータ

標高 160メートル〜400メートル

約8.5kmあるが全体的に歩きやすい

コース入口駐車場付近、八幡神社付近ほか

花立茶屋

なし

おすすめの時期

通年。四季折々の自然の他、峠や滝、茶園、史跡などをたどる景観に富んだ3コースがある

右上／八幡神社から若杉家屋敷跡の間からは山々と茶園が見渡せる眺めの良いポイントとなっている　左上／茶屋と馬輸送を家業とした花立家があったという花立家跡には東屋があるのでひと休みを　左下／古い社殿が歴史を感じさせる大久保地区の八幡神社

戦国時代、徳川と武田方天野氏との合戦の場となった三倉地区。この道は、江戸時代には「秋葉山」への表参道として「秋葉街道」と呼ばれた歴史深い古道だ。「塩の道」は3コース中最も長い約8.5km。馬のオブジェが建つ街道入り口から出発し、県道を北上すると❶乙丸集落を通り脇道へと入る。ここからは美しい杉並木を歩き、三丸コースとの分岐点である❷案内板まで抜ける。山林や茶畑を見ながら八坂神社、蔵泉寺を通ると宿場町として栄えた❸田能・小沢の街並み跡に到着。中間地点の街並み跡を背に板妻の里を通過し❹若杉家の屋敷跡へ。ここから八幡神社までは美しい茶畑や山並み、点在する民家が織りなす里山らしい眺めが堪能できる。栂の巨木を過ぎた頃から石張り歩道に入り、❺花立茶屋やいぼ取り地蔵、辺りまで石畳が続く。ここまでくればあと少し。万歳坂を通り街道入り口へ向かって歩みを進める。

おすすめスポット

森町体験の里 アクティ森

豊かな山あいにあるアクティ森は陶芸や草木染めなどができる体験工房、パターゴルフやバーベキュー場、レストランもある複合型体験施設。

スタート地点までのアクセス

静岡県周智郡森町一ノ瀬バス停付近（コース入口）

アクセス

秋葉バス「遠州森駅」バス停よりバスで20分、「一ノ瀬」バス停下車
新東名高速道路・森掛川ICより車で20分、県道58号三倉トンネル付近

駐車場

11台（大型バスも可）

❓ 森町役場産業課商工観光係　☎0538-85-6319

歴史と自然が織りなす表参道を歩く

秋葉山

あきはさん

歩行時間
約3時間30分

難易度
★★

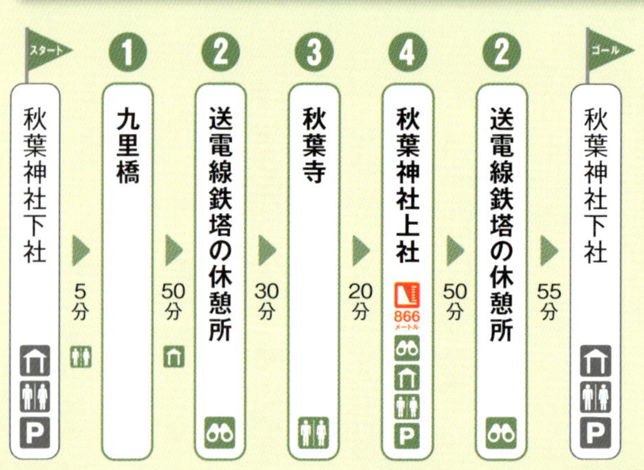

ハイキングデータ

標高 100メートル～866メートル

- 歩きやすいが距離が長く、アップダウンがある
- 秋葉山表参道駐車場、下社、上社、秋葉茶屋、秋葉寺
- 下社と上社、石畳上、秋葉寺
- なし

おすすめの時期

基本的には通年楽しむことができる。冬季は積雪の場合もあるので注意

① 九里橋

④ 秋葉神社上社

③ 秋葉寺

右上／山頂にある秋葉神社上社。黄金の鳥居は幸福の鳥居とも呼ばれ、遠く遠州灘を望む　左上／栃川にかかる赤い橋「九里橋」が表参道の拠点　左下／古来より続く火渡りの神事でも有名な秋葉寺。立派な赤塗りの山門が出迎えてくれる

南アルプス赤石山脈南端にあり、火伏せの神として知られる秋葉山本宮秋葉神社の神体山でもある秋葉山。**秋葉神社下社**を参拝してから出発。下社の先にある**❶九里橋**を渡り、宿場町の風情が残る石畳の坂道を進むと未舗装の山道が始まる。杉に囲まれて眺望は望めないが、多くの山野草や蝶の舞う姿などが見られ自然の息吹を感じながら歩くことができる。富士見茶屋跡、子安地蔵を過ぎて**❷送電線鉄塔の休憩所**でしばし休憩。西には気田川や浜松市街と遠州灘、東には富士山を見ることができるビュースポットだ。さらに信玄岩、土佐坂を登ると**❸秋葉寺**の仁王門が見えてくる。静かな境内を散策したら山頂の上社まであと少し。最後の登り坂を行くと金色に輝く**❹秋葉神社上社**の鳥居に到着。天竜川や遠州灘のパノラマビューを堪能しつつ上社を参拝し、**秋葉神社下社**へ向けて下山しよう。

おすすめスポット

そば切り　まるなる

下社から車で数分の場所にある「まるなる」は、自家製粉で打つ本格そばが人気。和モダンな店内で風味豊かなコシのあるそばを堪能しよう。

スタート地点までのアクセス

静岡県浜松市天竜区春野町

アクセス

新東名高速道路浜松浜北ICまたは森掛川ICよりいずれも車で30分

遠鉄バス秋葉線　下島バス停から登山道入り口（九里橋）まで徒歩2分

駐車場

秋葉神社下社前・数台程度（市の登山者用P）　秋葉山表参道駐車場・30台程度

❓ 天竜区観光協会春野支部（春野協働センター内）　☎053-983-0001

静岡・浜松市

浜名湖を見渡しながら湖北の稜線を行こう

尉ヶ峰 細江コース

じょうがみね ほそえこーす

歩行時間
約3時間50分

難易度
★★

ハイキングデータ

標高 90メートル～433メートル

- 距離があるため健脚者向きのコース
- 細江コース上にはなし
- 尉ヶ峰山頂、細江公園
- なし

おすすめの時期

通年、冬には二三月峠の展望台から富士山が眺められる

右上／東屋とベンチ、イノシシのオブジェが迎える山頂。南に浜名湖を眺められるが、より開けた大パノラマを求めるならビューポイントまで行こう　左上／江戸時代には御要害山と呼ばれた二三月峠展望台からも浜名湖を一望　左下／願いが叶う時は軽く、叶わない時は重くて持ち上がらないという伝説が残る「おもかる大師」

浜名湖の湖北エリア、姫街道の少し北に連なる尉ヶ峰は、細江と佐久米の2コースあるハイキングコース。細江コースは**細江公園**が起点となり、この横にある登山道入り口からスタート。ここから急な坂を登ると「おもかる大師」に遭遇する。言い伝えが残るお地蔵様を持ち上げて願掛けをしてから進もう。尾根筋を走る奥浜名スカイラインと並走するため、ところどころ車道を歩くことも。しばらくして**❶二三月峠**に到着。木製の展望台から浜名湖の眺望を楽しんだ後は**❷親子岩**や**❸夕陽台**を通り、しばらく歩くと急な階段の坂道を登って再び林道へ。**❸夕陽台**から80分ほど、木の階段を登り切って**❹尉ヶ峰山頂**へ着く。山頂からの眺めも素晴らしいが、もう少し西にある**❺ビューポイント**からの景色も感動的なので足を延ばして。ここで来た道を引き返し**細江公園**へと戻る。

おすすめスポット

長楽寺

小堀遠州作の「満点星（どうだん）の庭」があることでも有名。春はドウダンツツジ、秋の紅葉など四季折々の美しさが広がる。

スタート地点までのアクセス

静岡県浜松市北区細江町気賀

アクセス

東名高速道路・三ヶ日ICより県道85・国道362号線を北東へ約10km。天竜浜名湖鉄道気賀駅よりタクシーで5分

駐車場

細江コースの駐車場はないので予め周辺の駐車場を確認しておくか、公共交通機関を利用し気賀駅からハイキングをスタートするのがおすすめ

? 奥浜名湖観光協会（天竜浜名湖鉄道 気賀駅構内）　☎053-522-4720

広大な敷地の森で気軽にハイキング

三重県民の森

みえけんみんのもり

歩行時間
1時間～1時間30分

難易度
★

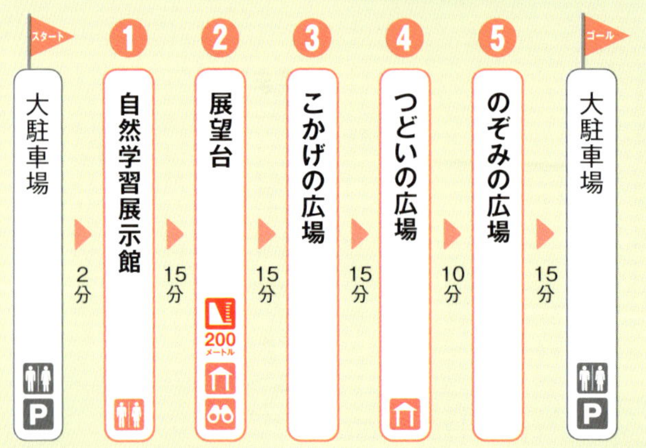

ハイキングデータ

- 整備されており歩きやすい
- 大駐車場、自然学習展示館あり
- 園内に8カ所あり
- 自然学習展示館、つどいの広場、大駐車場

おすすめの時期

4～5月、10～11月頃が過ごしやすくおすすめ

右上／新緑の季節の散策は、緑も多く、野鳥や虫達の声が心地良い　左上／芝生広場以外にも、写真のように芝生が広がる「つどいの広場」などもある。お弁当を食べる場所を探して散策するのも楽しい　左下／それほど高くない展望台だが、見事に周辺を一望することができる

ここは名の通り、三重県民が集う憩いの森。鈴鹿山脈釈迦ヶ岳の麓に位置し、自然豊かな散策コースで森林浴をしたり、野鳥を観察したりしながら、ゆったりとした時間を過ごせるスポット。森には野鳥をはじめ、リス、シカといったほ乳類から、テングチョウ、アサギマダラなどの蝶類、野鳥もいる。まず大駐車場から出発するとすぐに❶自然学習展示館に着く。ここが管理棟になるので、まずは立ち寄って、散策前に情報収集しよう。芝生広場を横切り、❷展望台へ。野鳥の森、自然の森、冒険の森などへ続く道は歩きやすいが手を入れ過ぎず、自然の景観を壊していないため歩いていて気持ちいい。❹つどいの広場には東屋がある。17種類のアスレチックに挑戦できる「冒険の森」、夏には小川で水遊びができる「流れの広場」などもあり、ファミリーにおすすめしたいハイキングコースだ。

おすすめスポット

アクアイグニス

癒やしと食をテーマにした複合温泉リゾート施設。奥田政行、辻口博啓、笠原将弘という名だたるシェフの料理も味わえる。
三重県三重郡菰野町菰野4800-1

スタート地点までのアクセス

三重県三重郡菰野町千草7181−3

アクセス
東名阪自動車道「四日市」ICより国道477・306号線、一般道を北西へ11km。または新名神高速道路「菰野」ICより北西へ6km

駐車場
約130台収容できる大駐車場をはじめ、4つの駐車場（無料）がある。全体で約200台停められる

❓ 三重県民の森　☎059-394-2350

奇岩の宝庫。山頂まで約20分の絶景ハイク

御在所岳

ございしょだけ

歩行時間
約1時間

難易度
★★

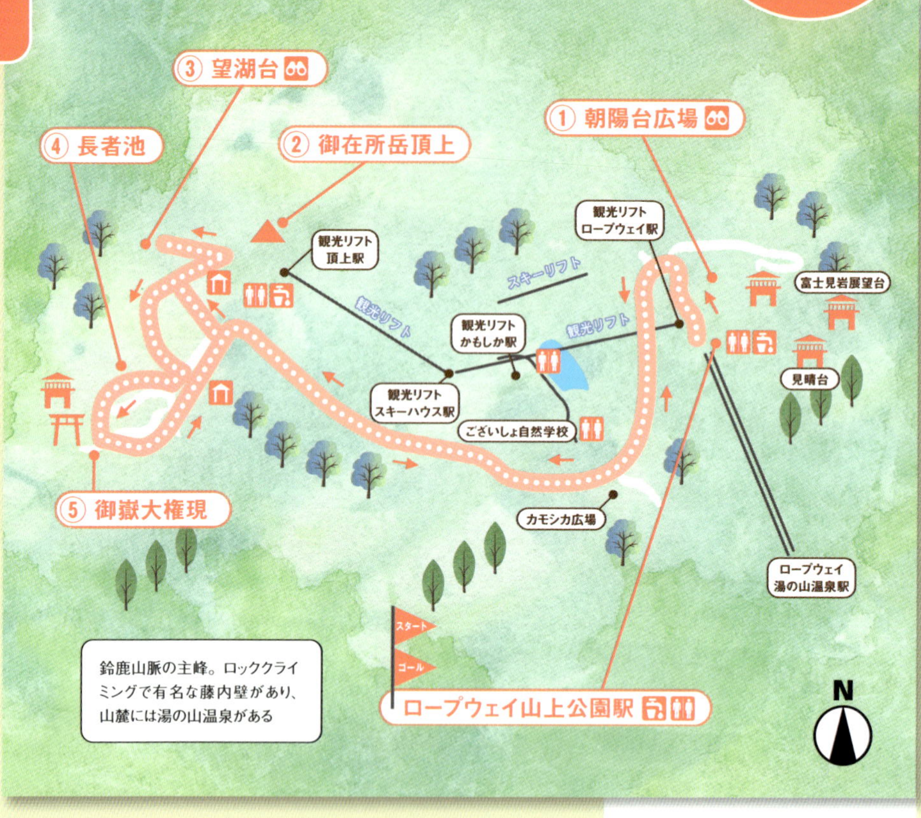

鈴鹿山脈の主峰。ロッククライミングで有名な藤内壁があり、山麓には湯の山温泉がある

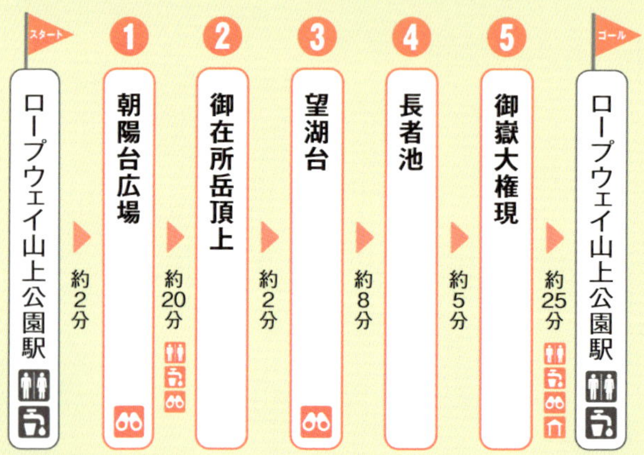

ハイキングデータ

標高 1,160メートル～1,212メートル

- よく整備されていて歩きやすい
- ロープウェイやリフトの駅にあり
- ルート内に2ヶ所あり
- ロープウェイ山上公園駅舎隣接展望レストラン「ナチュール」

おすすめの時期

4月中旬～5月中旬、7月下旬～8月中旬、10月中旬～11月中旬、1月中旬～2月中旬

右上／「望湖台」は天然の岩の展望台で、柵がなくスリル満点。絶景を背景に記念写真が撮影できる。　左上／「朝陽台広場」から東へ5分ほど歩いたところにある「富士見岩展望台」。大パノラマの絶景が広がる展望台で、空気の澄んだ日には富士山が見えることも　左下／ロープウェイ湯の山温泉駅から山上公園駅までは約15分の空中散歩。途中にはロープウェイ鉄塔として日本一の高さを誇る6号鉄塔がある

御在所岳は、鈴鹿国定公園の中に位置する鈴鹿山脈の主峰。花崗岩で形成されており、不思議な奇岩・珍岩が随所に見られる。春にはアカヤシオやシロヤシオなどのツツジ科の花が開花。夏には赤トンボが姿を見せ、秋には紅葉、冬には樹氷と、四季折々に違った表情を見せてくれる。ロープウェイを使えば、標高1,212mの山頂に徒歩約20分で登頂できるのが何よりの魅力。ロープウェイ山上公園駅から伸びる舗装路を歩いたら階段を登って一等三角点のある❷御在所岳頂上へ。歩いて2分のところにある❸望湖台も絶景スポットだ。眺めがよく、西の方角にある琵琶湖方面の景色を楽しめる。❹長者池❺御嶽大権現を巡り、舗装路へ。来た道を戻り、余裕があれば、見晴台や富士見岩展望台を巡るのもいい。

おすすめスポット

展望レストラン「 ナチュール 」

ロープウェイ山上公園駅に隣接するレストラン。眼下に広がる伊勢湾や知多半島方面の絶景を眺めながら、食事やカフェタイムを楽しめる。

スタート地点までのアクセス

三重県三重郡菰野町湯の山温泉（ロープウェイ山上公園駅）

アクセス

新名神高速道路菰野（こもの）ICから約10分。ロープウェイは中学生以上2,450円、4歳以上1,220円（いずれも往復料金）

駐車場

ロープウェイ湯の山温泉駅に300台分ある（有料1日1台1,000円）

❓ 御在所ロープウエイ　☎059-392-2261

三重・桑名市

複数の見どころがある変化に富んだコース

多度山

たどやま

歩行時間
4時間40分

難易度
★★

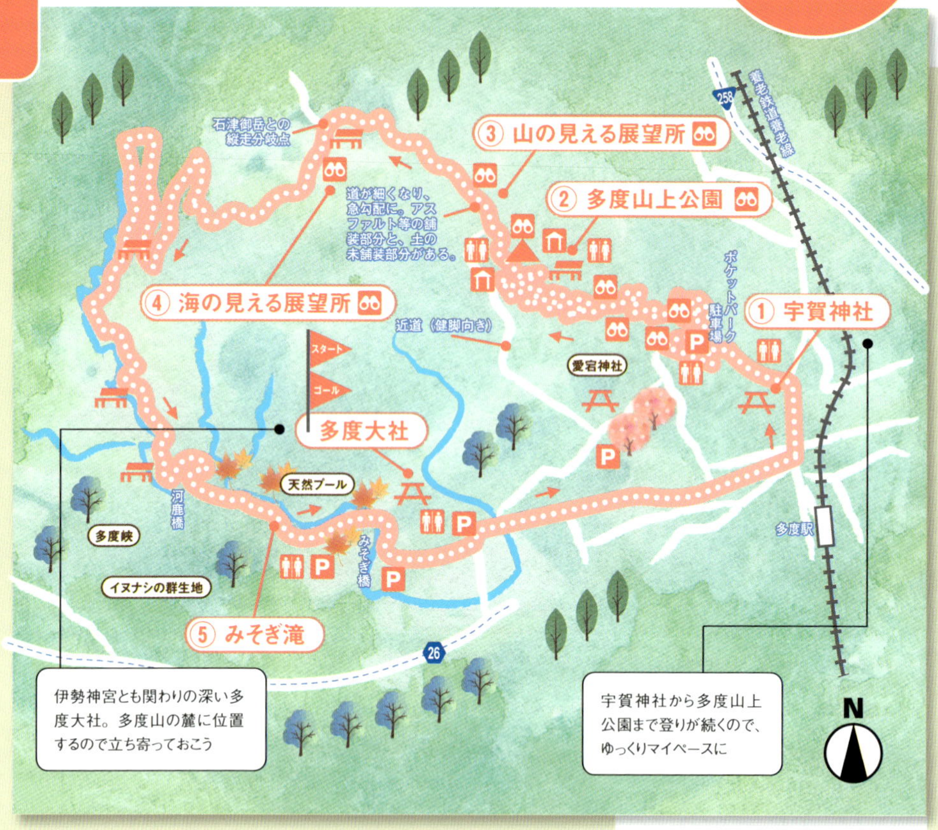

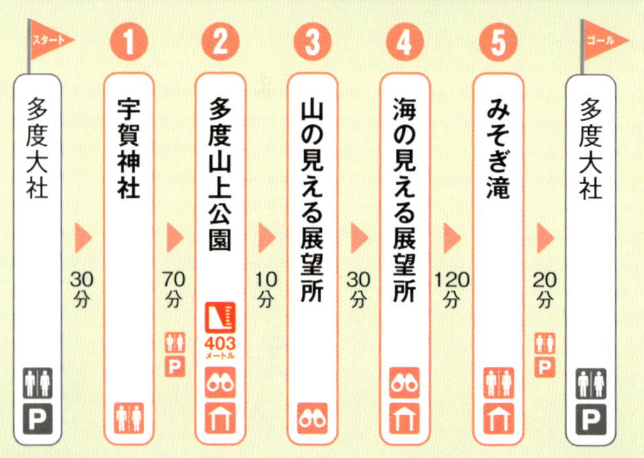

ハイキングデータ

標高 30メートル～403メートル

- 一部、山登りのような道あり
- ルート内に数ヵ所あり
- みそぎ滝にあり
- なし

おすすめの時期

夏は天然プールが楽しめるとあって家族に人気。春の新緑、秋の紅葉もおすすめ

右上／多度山からの眺望。遮るもののない見晴らしで、遠くアルプスや伊勢湾が一望できる　左上／森の中の山道は整備されており、安心できる　左下／多度山から見える初日の出

1500年以上もの歴史ある**多度大社**からスタートするコース。真っすぐのびる参道をのんびり歩いていくと、**❶宇賀神社**の横にある登山口へ。ポケットパークの駐車場以降は曲がりくねった山道が続く。ただ意外にも見晴らしがよく、休憩できるポイントも要所にあるため、かなり長い道のりではあるが、意外と初心者でも登りやすい。頑張ってこの山道を登れば、**❷多度山上公園**に到着。自慢はなんといっても、眼下の展望。木曽・長良・揖斐川、濃尾平野など。園内にある高峯神社にはご神木の三本杉があり、商売繁盛・家内安全・進学祈願の神様。この公園のすぐ傍に三角点がある。公園でひと休憩したら、今度は**❸山の見える展望所**、**❹海の見える展望所**へ。多度大社のみそぎ場だった直下25mの**❺みそぎ滝**もある。コース内の道は整備されており、子連れでも歩きやすい。

おすすめスポット

多度大社

地元だけでなく、遠くからもわざわざ来る人もいる由緒高い多度大社。写真は多度大社の参道で古い町並みが広がる。

スタート地点までのアクセス

三重県桑名市多度町多度1681（多度大社）

アクセス

東名阪自動車道「桑名東」ICより車で10分、伊勢湾岸自動車道「湾岸桑名」ICより車で20分、三交バス「多度大社前」下車、徒歩約1分

駐車場

多度大社前駐車場（土日祝は有料）あり

❓ 多度町観光協会　☎0594-48-2702

山麓の渓谷、山上の平原のコントラストが楽しめる

竜ヶ岳

りゅうがたけ

歩行時間
5時間45分

難易度
★★★

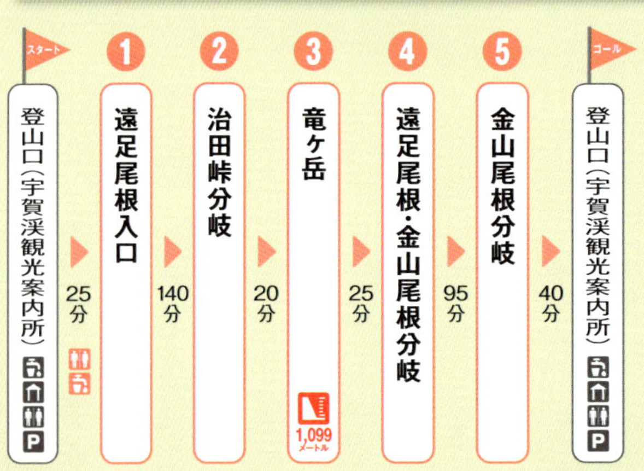

ハイキングデータ

標高 250メートル～1,099メートル

- 中級レベルの登山になる
- 有（MAP参照）
- 有（MAP参照）
- なし

おすすめの時期

シロヤシオやアカヤシオが美しい5月初旬～下旬、紅葉が楽しめる11月中旬～12月初旬がおすすめ

右上／山頂一帯に広がったササ原。登り口からの岩場や急坂からはとても想像できないおだやかな風景。この達成感と爽快感を味わいたくて、何度でも登りたくなる山　左上／山頂付近に群生するシロヤシオは竜ヶ岳のシンボル的な存在。毎年5月頃に上品な白い花をほころばせる　左下／頂上付近からは周囲の峰々を見下ろす360°の大パノラマが堪能できる

三重県と滋賀県との県境に位置する竜ヶ岳。山麓には鈴鹿国定公園でも随一といわれる渓谷美が、山上にはうってかわっておだやかな平原が広がる。山頂を目指す以外にも、宇賀渓遊歩道から滝や渓谷を巡るミニハイクも楽しめるなど多彩な魅力を持つ山だ。

山頂までは複数のルートがあるが、初心者なら往路に遠足尾根、復路に金山尾根を選ぶのがおすすめ。登山口から林道経由で❶遠足尾根入口より斜面を登り、眺めを楽しみながら長い尾根を歩くと、やがて視界が開けてゆるやかなササ原が広がる。❸竜ヶ岳山頂付近の平原には、春ともなればシロヤシオが草原に遊ぶ羊の群れのような姿を現し、なんともいえない美しさ。帰りは❹遠足尾根・金山尾根分岐から金山尾根ルートへ。急勾配に注意して下山しよう。

おすすめスポット

Patisserie Café こんま亭

卵や果物、野菜など、地元産の厳選素材をふんだんに使ったケーキや焼き菓子が人気のパティスリー。優しい甘さが疲れを癒してくれる。いなべ市大安町石榑東1217-1 Tel.0594-78-1649

スタート地点までのアクセス

三重県いなべ市大安町

アクセス

東海環状大安ICより9km、東名阪桑名ICより20km、名神八日市ICより28km、新名神菰野より16km。近鉄富田駅から三岐鉄道三岐線「大安駅」下車、タクシーで約15分

駐車場

宇賀渓観光案内所に駐車場あり（160台。普通車500円、二輪車200円）（2022年春料金改定予定）

❓ 宇賀渓観光案内所　☎0594-78-3737

四季を通じて様々な植物を楽しめる花の山

藤原岳

ふじわらだけ

歩行時間 約6時間

難易度 ★★★

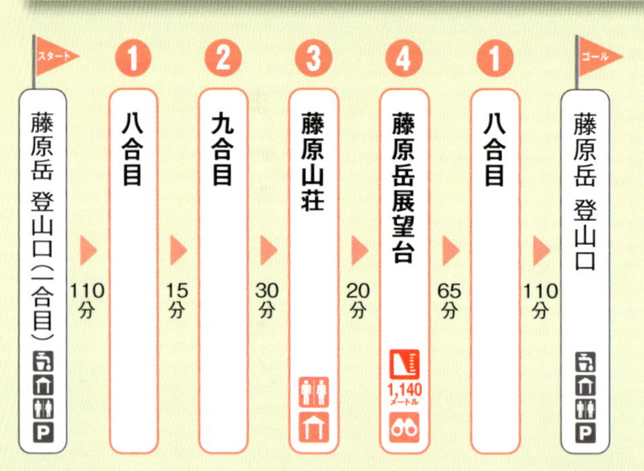

ハイキングデータ

標高 150メートル～1,140メートル

中級レベルの登山になる

有（藤原岳登山口休憩所、藤原山荘）

有（MAP参照）

有（藤原岳登山口休憩所）

おすすめの時期

春の花、秋の紅葉、冬の雪山など四季折々に楽しみが。初心者ならフクジュソウの咲く3月中旬～4月中旬がおすすめ

右上／山頂の藤原岳展望台からは周囲の山々を見渡せる。心地よい疲れの中で絶景を楽しもう　左上／歩きやすく整備された山道は初心者にも不安なく登ることができる。一合目～九合目まで看板が設置されているため、ペース配分もしやすい　左下／春先に可憐な姿をのぞかせるフクジュソウ。藤原岳はフクジュソウが特に多く見られることでも知られており、毎年楽しみにこの地を訪れる登山客も多い

鈴鹿セブンマウンテンの1つで、関西百名山にも数えられる藤原岳。「花の百名山」としても知られ、特に春先のフクジュソウやセツブンソウ、カタクリ、イチリンソウなどが人気だ。代表的なルートには大貝戸道、聖宝寺道があるが、初心者なら大貝戸道がおすすめ。登山口の休憩所奥にある鳥居をくぐり、木漏れ陽が降り注ぐ森の中を山頂を目指して歩く。❶八合目で聖宝寺道と合流、冬道とも分岐するので看板に注意して進もう。この辺りでは季節が合えば、あちこちにフクジュソウの可憐な姿が見られるはず。やがて❷九合目を過ぎ❸藤原山荘まで到達したら、山頂まではあと一息。無事山頂に到着し❹展望台からの景色を楽しんだら、山荘付近で昼食をとり同ルートで下山する。体力に自信があれば下山前に天狗岩まで縦走するのもいいだろう。

おすすめスポット

阿下喜温泉

山歩きの疲れをのんびり癒せる立ち寄り湯。肌に優しいアルカリ性のかけ流し温泉は、温まりやすく湯冷めしにくい。サウナや休憩室も完備。いなべ市北勢町阿下喜788／Tel.0594-82-1126

スタート地点までのアクセス

三重県いなべ市藤原町大貝戸

アクセス

東名阪自動車道・桑名ICから国道421号、約45分。名神高速道・関ヶ原ICから国道365号、約40分。近鉄富田駅より三岐鉄道三岐線乗り換え、終点「西藤原駅」下車

駐車場

藤原岳登山口に無料駐車場あり（約30台）。満車の場合は旧西藤原小学校近くの観光駐車場（有料、300円）の利用を

❓ いなべ市役所 商工観光課　☎0594-86-7833

長野・木曽郡

木曽ヒノキが香る美林で、癒しの森林浴を

赤沢自然休養林

あかさわしぜんきゅうようりん

歩行時間
1時間

難易度
★

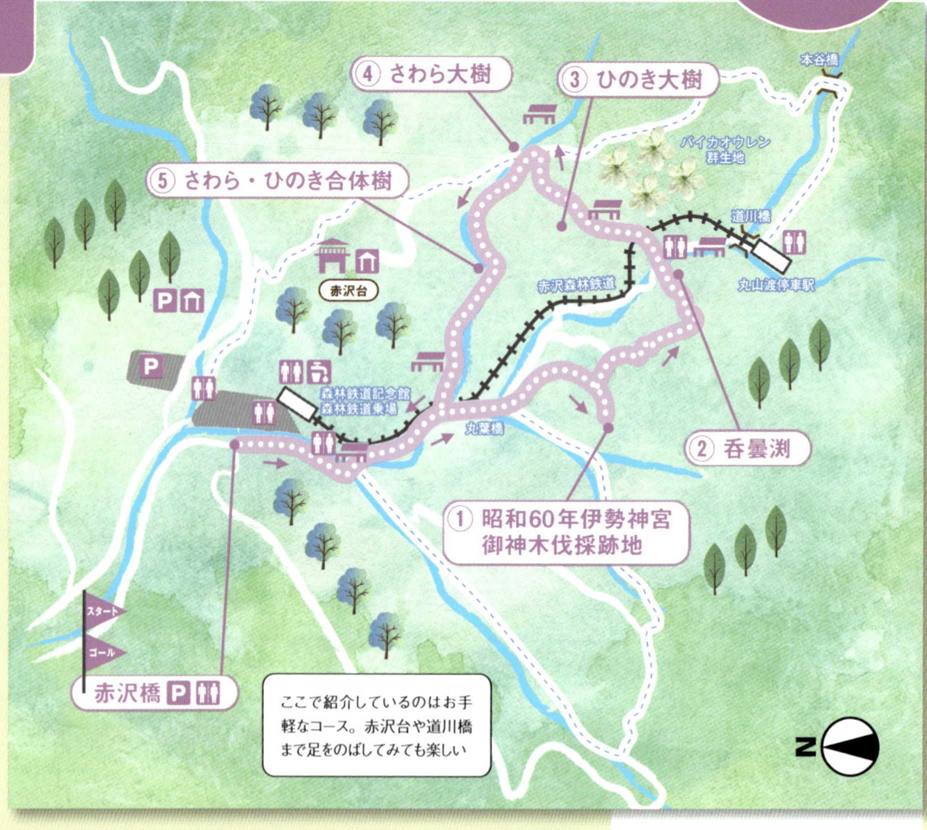

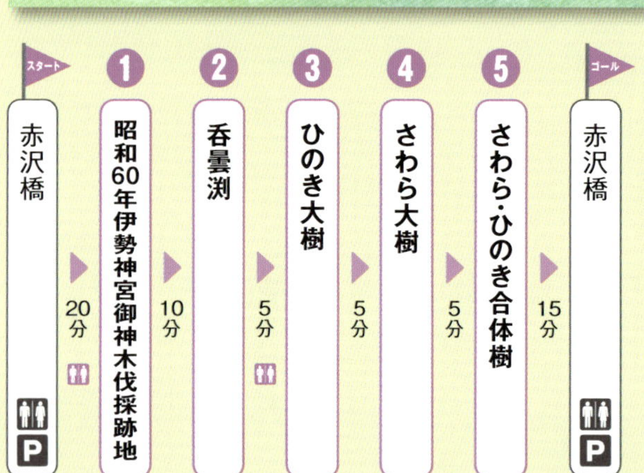

ハイキングデータ

標高 約1,100メートル～1,300メートル

- よく整備されており、歩きやすい
- 駅周辺にあり
- ルート内にあり
- 森林鉄道乗り場付近

おすすめの時期

6月上旬の新緑の季節、10月中旬頃の紅葉の季節がおすすめ。開園期間は4月下旬頃

右上／駒鳥コースの半分以上が、チップ舗装で整備されており、歩きやすい　左上／「昭和60年伊勢神宮御神木伐採跡地」は、第61回式年遷宮の「御樋代木」を伐採した会場。当時の切り株が残る　左下／「赤沢自然休養林」開園期間中運行する赤沢森林鉄道。ふれあいの道に並行して走るトロッコ電車だ。「森林鉄道記念館」横にある森林鉄道乗場と丸山渡停車駅を往復する

樹齢300年以上の木曽ヒノキが林立する国有林で、日本三大美林のひとつに数えられる。江戸時代は尾張藩の留山、明治以降は皇室の御料林とされ、昭和44年に日本初の自然休養林として一般公開された。日本における森林浴発祥の地であり、環境省のかおり風景100選、林野庁の森林セラピー基地にも選出。コースは6つあり、赤沢らしい風景を巡れる駒鳥コースがおすすめだ。赤沢橋からふれあいの道を歩き、丸葉橋の分岐から駒鳥コースへ。❶昭和60年伊勢神宮御神木伐採跡地や休憩スポット❷呑釜渕（どんどんぶち）を巡る。園内で1、2を争う大きさの❸ひのき大樹と❹さわら大樹を眺められるのもこのコースならでは。また、駒鳥コースの途中には複数の分岐点があり、ほかのコースと組み合わせることができるので、何度も行きたくなる。

おすすめスポット

寝覚の床

1923年に国の名勝に指定された。花崗岩の地形を木曽川の流れが削って姿を表した。古くから浦島伝説が残されている。長野県木曽郡上松町上松1704

スタート地点までのアクセス

長野県木曽郡上松町小川入国有林内

アクセス
中央自動車道伊那IC、中津川ICからそれぞれ約90分。JR中央本線上松駅から赤沢線バスで約30分

駐車場
220台あり（普通車1日1台600円）

上松町観光協会　☎0264-52-1133

長野・宮田村

清流沿いに続く、森林の中を歩く美しい道

こもれ陽の径

こもれびのみち

歩行時間
2時間

難易度
★

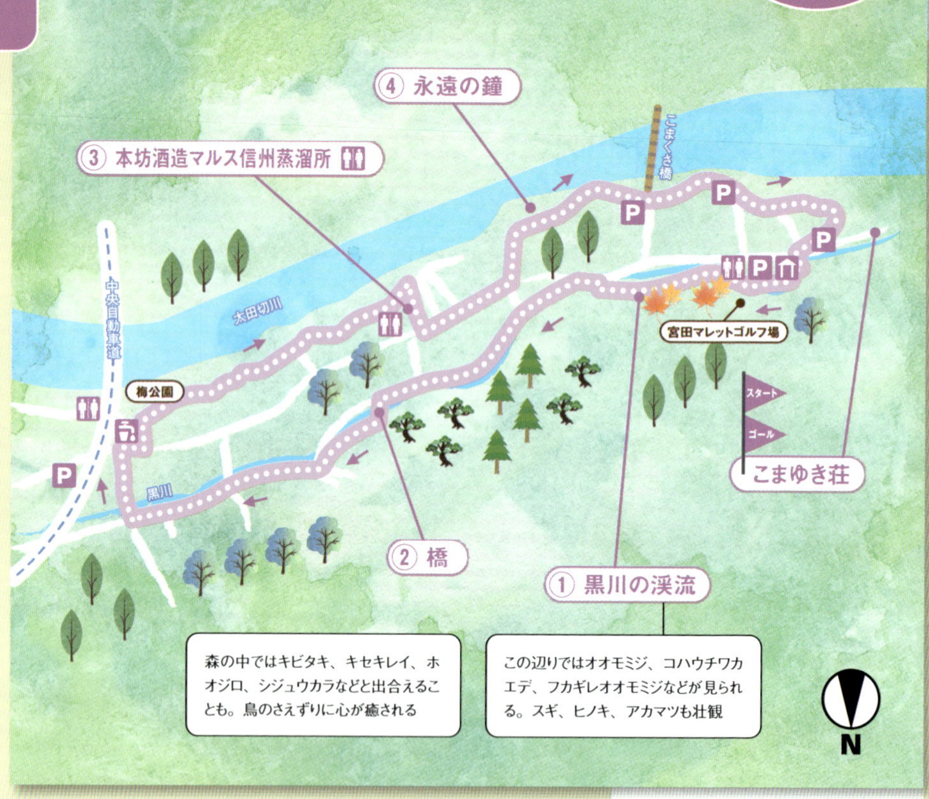

ハイキングデータ

標高 750メートル～850メートル

- キチンと整備されていて歩きやすい
- コース内に2ヶ所あり
- スタート地点にあり
- 梅公園

おすすめの時期

このコースはゆったり森林浴を楽しみたいコースのため、新緑の季節が一番おすすめ。夏も涼しく快適だ

右／黒川の清流沿いを歩く「こもれ陽の径」。道はていねいに整備されていて歩きやすい。太田切川沿いには「本坊酒造マルス信州蒸溜所」などの楽しいスポットが並ぶ
左／西エリアには、モミジのほかカエデ類も多く植えられているので、新緑の季節はもちろん、秋の紅葉シーズンもおすすめ

南アルプスと中央アルプス、2つのアルプスに抱かれた自然豊かな宮田村。中央アルプスを源流とする太田切川の支流である黒川沿いを歩く全長1.7kmの小径が「こもれ陽の径」だ。森林の中を歩く道は、ハイシーズンでも人の気配をさほど感じることなく、静かに歩くことができる。こまゆき荘から黒川沿いに伸びる道を歩く。宮田マレットゴルフ場を過ぎると、巨石の間を❶黒川が流れ、アカマツ、スギ、ヒノキの大木が生い茂る西エリアに入る。このエリアは、ダイナミックな景色が魅力。つりぼりを過ぎたら中央エリア。せせらぎの音が涼やかな道は起伏に富み、面白い。❷橋を渡り、アカマツの林を歩く東エリアへ。梅公園まで歩いたら、❸本坊酒造マルス信州蒸溜所や❹永遠の鐘などの観光スポットが並ぶ太田切川沿いを「こまゆき荘」まで歩くのが楽しい。

おすすめスポット

早太郎温泉 こまゆき荘

日帰り入浴や宿泊ができる「こまゆき荘」。駒ヶ岳ロープウェイの玄関口にあり、中央アルプス観光の拠点に便利。

スタート地点までのアクセス

長野県上伊那郡宮田村新田4751-75（こまゆき荘）

アクセス
中央自動車道駒ヶ根ICから国道153号線を経由して約15分。JR飯田線宮田駅下車、徒歩約50分

駐車場
「こもれ陽の径」がある総合公園内に約50台（無料）

❓ 宮田村役場産業振興推進室商工観光係 ☎0265-85-5864

途中までロープウェイで一気に登るりんどうコース

ヘブンスそのはら

ヘブンスそのはら

歩行時間
1〜2時間

難易度
★

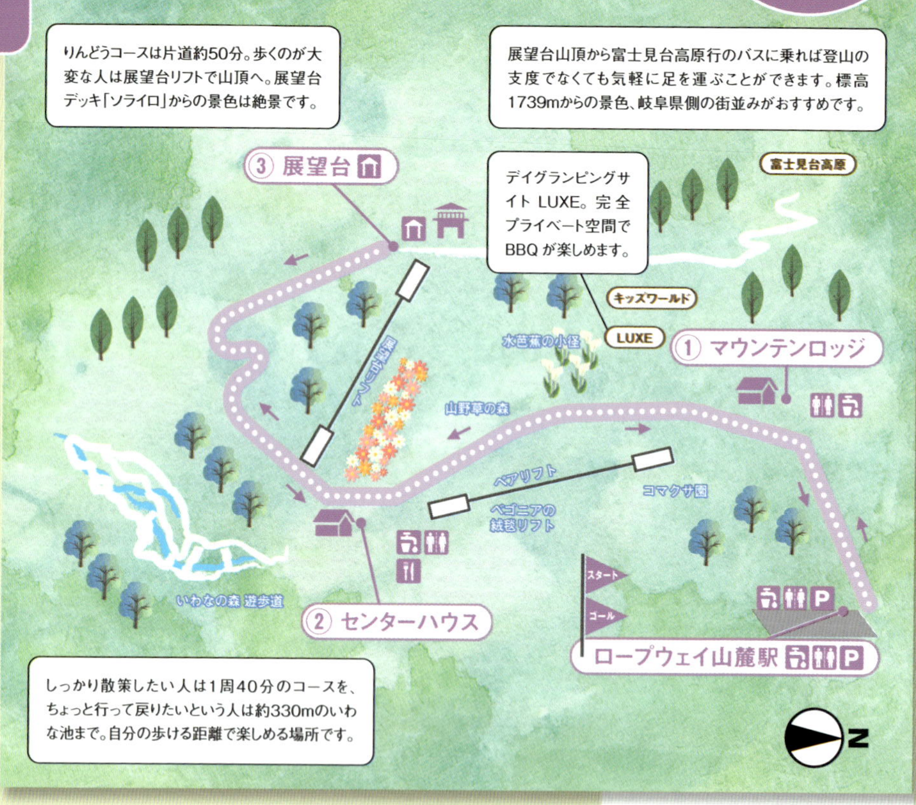

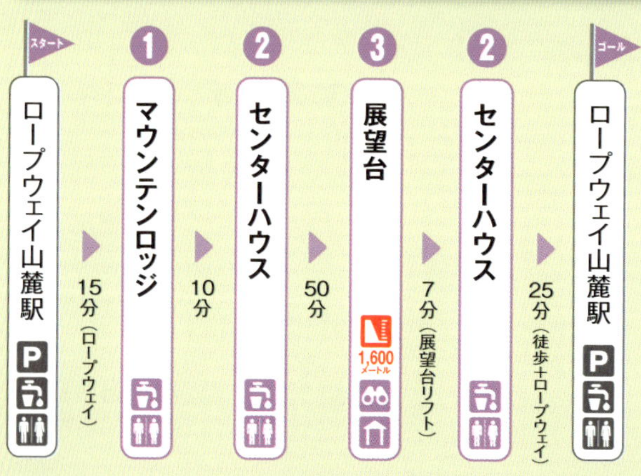

ハイキングデータ

標高 800メートル〜1600メートル

- 整備されているので歩きやすい
- 水洗トイレ3ヶ所あり
- 展望台あり
- センターハウスなどにあり

おすすめの時期

春は水芭蕉や山野草を、夏でも涼しく快適に過ごすことができ、秋はご来光、雲海、紅葉、冬はスキーと一年を通して楽しめる施設です。

右上／標高1600mの景色。晴れた日は南アルプスが見渡せる　左上／場内BGMが消え、川の流れや風の音が心地良い空間　左下／夏にはベコニアが満開に。リフトから見るベコニアはまるで絨毯のよう。

冬はスキー場として賑わっているヘブンスそのはらも、春や夏はハイキングのスポットに。このコースはスタート地点からロープウェイを使って標高1,400mの❶マウンテンロッジまで一気に登るお手軽なコースだ。遊歩道を歩くと、ベゴニアの絨毯や水芭蕉、山野草の森などが見られる。子どもがいる人はキッズワールドで帰り遊んでも。❷センターハウスからも花の絨毯が見える。そこからは体力次第で歩くかリフトかを選択。歩きの場合は約50分程度りんどうコースを登れば、いよいよ見晴らし抜群の❸展望台へ。この眺めを見るだけのためにここまで来る価値がある。ちなみに❸展望台から富士見台高原バスに乗って富士見台高原へ向かうルートもあり、健脚ならそこまで目指すのもいい。下りは歩きでも、リフトに乗って降りても。❷センターハウスでは食事もできる。

おすすめスポット

冬のスキー場

冬はスノーシューも楽しめる。ガイドと歩くスノーシューツアー体験も開催! スノーシューのレンタルもある。

スタート地点までのアクセス

長野県下伊那郡阿智村智里3731-4

アクセス
名古屋より約60分!中央道園原ICより約5分

駐車場
駐車場は7か所にあり、1500台近く収容可能。すべて無料で利用できる

? ヘブンスそのはら　☎0265-44-2311

南アルプスを一望する、標高約2,000mへ

御池山ハイキングコース

おいけやま はいきんぐこーす

歩行時間
2時間

難易度
★★

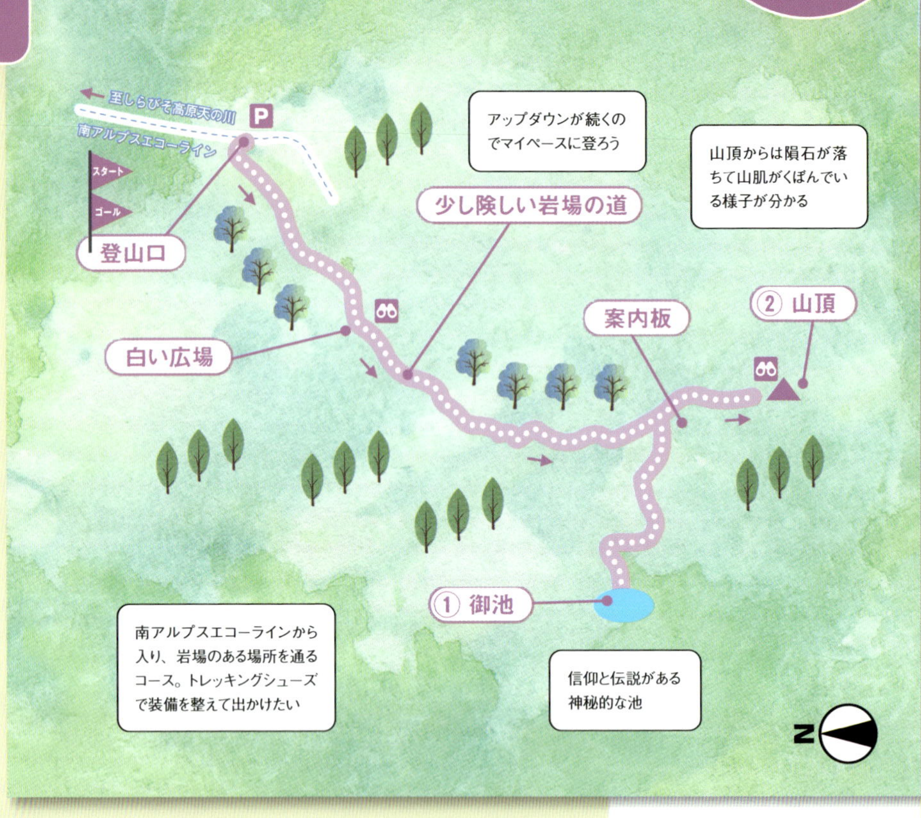

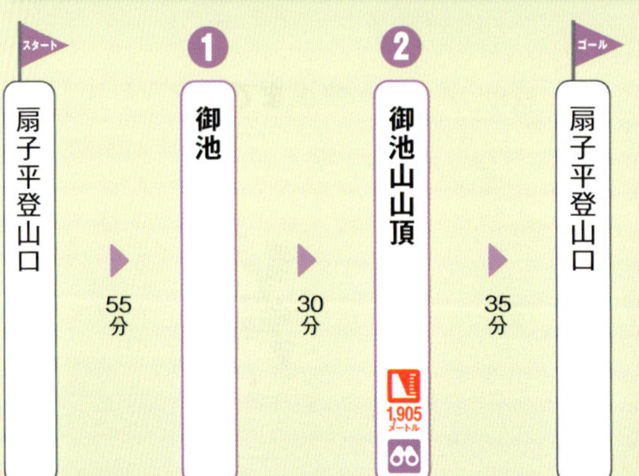

ハイキングデータ

標高 1,810メートル～1,905メートル

よく整備されている。岩場を歩く時は足元に注意

しらびそ高原天の川にあり

なし

しらびそ高原天の川にあり

おすすめの時期

新緑の5月中旬～紅葉の11月初旬。6～7月は亜高山帯のみに生育するコミヤマカタバミが開花

右上／御池山山頂からの眺め。正面には大沢岳や光岳が見える。手前に生い茂る熊笹がまるで絨毯のよう　左上／白樺やカラマツの林など、原生林の野手溢れる美しさを堪能できる　左下／雨乞いなど、信仰と伝説の舞台となった御池。水面に周囲に生い茂る木々や空の色が映し出され、美しい

南アルプスの中に位置するしらびそ高原。標高1,918mに建つレストランと宿泊の複合施設「しらびそ高原天の川」からは、南アルプス、北アルプス、中央アルプスを眺めることができる。この複合施設を拠点に、南アルプスを眺めながら原生林を歩くのが「御池山ハイキングコース」だ。

南アルプスエコーラインからすぐの駐車場からスタート。岩場、アップダウンが続く道を歩いて御池山と御池の分岐点から笹やぶを下り、信仰と伝説のある場所❶御池へ。湛えた水に周囲の景色が映し出される様子がなんとも神秘的だ。尾根へ戻り、ダケカンバの林を西へ辿ると、兎岳を前に南アルプス最南端の聖岳が見える。❷山頂で待っているのは、大沢岳から光岳までを見渡せる壮大な景色。隕石が落ちて山肌が窪んでいる様子も眺めることができる。

おすすめスポット

下栗の里ビューポイント

にほんの里100選に選ばれるほど美しい「下栗の里」。自然と暮らしが調和する美しい景色を眺めることができる。

スタート地点までのアクセス

長野県飯田市上村

アクセス

中央自動車道飯田ICから国道153号、県道18・83号・県道251号線、矢筈トンネル、国道474号線を経由し、車で約80分

駐車場

南アルプスエコーラインと林道との合流点に御池山駐車場がある。「しらびそ高原天の川」に停めて山頂を目指すと往復4時間

❓ 遠山郷観光協会　☎0260-34-1071

ハイキングに行く前の準備とマナー

いざハイキングへ。もし不慣れな人は、こんなことに気をつけておくと、ハイキングがスムーズに楽しめますよ。

ハイキング服装&持ち物チェック!

- リュックサック（両手が空くように）
- トレッキングシューズ（公園レベルならスニーカー）
- ハイキングマップ
- 上下長袖の服（日除け、虫除け、防寒）
- 虫さされスプレー、消毒液
- ペットボトル500ml程度の水（水分補給&ケガの場合の備え）
- 携帯電話（緊急の場合に連絡を取り合うため）
- ビニール袋、ハンカチ（ゴミ持ち帰り、ケガの応急処置にもなる）
- お弁当&お菓子

天候のチェック

平地ならまだいいが、山の天気は変わりやすいもの。事前の情報収集は必須だ。天候の情報に関わらず雨具などの準備はかかさないで。また雨が振ることで道が悪くなるため、小雨でも避けたいところ。もっとも注意したいのは雷。平地では避ける場所もなく、東屋でも落雷では危険。雷、雨の予報が出ていたら、その日のハイキングは中止しよう。

ルート確認は最低限のこと

地図は必ず用意すること。公園レベルの場所ならば特に不要なこともあるが、初級レベルでも、森やいくつもの分岐がある場合は、事前にルートマップを役場や管理センターなどでもらっておきたい。事前にかかる時間を想定して、ルートや時間配分など調べておき、自分の体力に応じて無理のない計画を。特にアップダウンのある場所や、休憩ポイントのない場所など無理は禁物。また水道やトイレの場所も事前に押さえておきたい。今どきは携帯があれば大抵の場所はつながるが、山頂でつながるかなども管理センターに確認して行くと心強い。

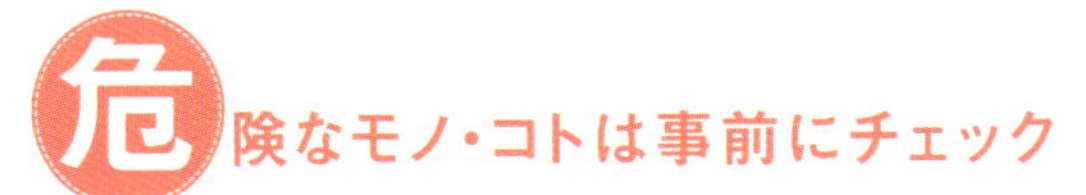

危険なモノ・コトは事前にチェック

ハイキングは生き物との出会いも醍醐味。生物が多様ということは、面白い半面、危険なものがあるのも事実。特に茂みや林のある場所では、ヘビ、スズメバチ、マダニなどとの遭遇はそれほど珍しいことではない。場所によってはサルやイノシシなどとの遭遇も。まずは管理された場所ならば必ず何があるなどインフォメーションがあるので確認しておくと安心。またヤマウルシやカエンタケのように触れただけでもよくないものなどを知っておくことも大事だ。今回紹介するようなところは割と散策路がハッキリしているが、それでも道から外れると危ないということも覚えておきたい。

登り優先が基本

登山道は一人通るのもやっとなほど狭い場所も。そんな時は、登りの登山者に道を譲る。とは言え、危険な場所で回避不可能な場合はお互いに安全第一で臨機応変に対応する心が大事。また登山道や木道などで人とすれ違う際には軽く挨拶をするのがマナー。みんなが気持ち良くハイキングできるように心掛けよう。

生き物は持ち帰らない&持ち込まないが基本ルール

昆虫採取や植物採取などは基本的にNG。観察することに留めよう。大抵の場合、管理・保全されている森は、その場所ならではの生態系を守る活動もされている。そこにしかいない固有種や在来種を守るために、外来種の侵入も防ぎたいところだ。外来種の侵入は大抵の場合、人の衣服や靴の裏などから入って来る。なるべく衣服は種などがつきにくい素材のものに、また靴裏は一度軽く洗ってから森へ入るのがベターだ。

夏でも15時までには下山が鉄則

山では、15時を過ぎると暗くなり気温も低くなるため、初心者のみならず上級者もこの時間を目安に行動、計画を立てるのが基本。予定をクリアできずとも、引き返すなどの対応をして安全に行動しよう。

INDEX

愛知県民の森 …… 034
赤沢自然林養林 …… 116
秋葉山 …… 102
足助・香嵐渓 …… 040
石巻山 …… 022
猪高緑地 …… 028
伊吹山 …… 064
葦毛湿原 …… 018
岩屋堂公園 …… 038
御池山ハイキングコース …… 112
大草山 …… 086
王滝渓谷 …… 042
鬼岩公園 …… 078

か

海上の森 …… 048
各務原アルプス 明王山見晴台 …… 062
かさはら潮見の森 …… 068
金華山 …… 070
御在所岳 …… 108
古城山 …… 082
五宝滝公園 …… 074
こもれ陽の径 …… 118

佐久島 …… 016
佐鳴湖公園 …… 094
小夜の中山峠 …… 088
猿投山 …… 030
静岡県立森林公園 …… 090
賤機山 …… 096
尉ヵ峰　細江コース …… 104
定光寺 …… 026
戦国夢街道ハイキングコース …… 100

た

多度山 …… 110
たはらアルプス …… 036
乳岩峡 …… 044
茶臼山高原 …… 012
付知峡 不動公園遊歩道 …… 054
東谷山 …… 020
百々ヶ峰 …… 080
豊田市自然観察の森 …… 024

な

21世紀の森公園 …… 084
日本ライン うぬまの森 …… 060

は

八曽自然休養林 …… 032
鳳来寺山 …… 046
富士見台高原 …… 076
藤原岳 …… 114
ヘブンスそのはら …… 120

ま

馬籠宿～妻籠宿 …… 072
三重県民の森 …… 106
三岳山 …… 098
みのかも 健康の森 …… 056
宮路山 …… 014
弥勒山・大谷山・道樹山 …… 052
面ノ木園地 …… 050
森町町民の森 …… 092

や

夕森公園 …… 066
養老公園 …… 058

ら

竜ヶ岳 …… 112

編集・制作

(有)マイルスタッフ
TEL:054-248-4202
http://milestaff.co.jp

東海　日帰りハイキング
こだわり徹底コースガイド　改訂版

2022年 4 月15日　　第1版・第1刷発行
2025年 5 月10日　　第1版・第4刷発行

著　者　東海山歩き倶楽部（とうかいやまあるきくらぶ）
発行者　株式会社メイツユニバーサルコンテンツ
　　　　代表者　大羽 孝志
　　　　〒102-0093 東京都千代田区平河町一丁目 1-8
印　刷　株式会社厚徳社

◎『メイツ出版』は当社の商標です。

●本書の一部、あるいは全部を無断でコピーすることは、法律で認められた場合を除き、
著作権の侵害となりますので禁止します。
●定価はカバーに表示してあります。
© マイルスタッフ ,2018, 2022.ISBN978-4-7804-2600-7 C2026 Printed in Japan.

ご意見・ご感想はホームページから承っております
ウェブサイト　https://www.mates-publishing.co.jp/

企画担当：堀明研斗／清岡香奈

※本書は 2018 年発行の『東海 日帰りハイキング こだわり徹底コースガイド』を元に
情報更新・一部必要な修正を行い、改訂版として新たに発行したものです。